TODAS SOMOS DESPLAZADAS

TODAS SOMOS DESPLAZADAS

Mi experiencia y mis encuentros con refugiadas de todo el mundo

MALALA YOUSAFZAI

con Liz Welch

Alianza Editorial

Título original: *We Are Displaced*

Esta edición ha sido publicada por acuerdo con Little, Brown and Company, New York, New York, USA. Todos los derechos reservados.

Páginas i-iii, vi-viii: mapa © rolandtopor/Shutterstock.com
Páginas xii-1, 43: mapa © Peter Hermes Furian/Shutterstock.com
Páginas 49, 69, 93, 103, 113, 141, 169, 181: mapa © dikobraziy/Shutterstock.com
Páginas 81, 123, 157: mapa © pingebat/Shutterstock.com

Copyright © 2019 by Malala Fund
© de la traducción: Julia Fernández, 2019
© Alianza Editorial, S. A., Madrid, 2019
  Calle Juan Ignacio Luca de Tena, 15
  28027 Madrid
  www.alianzaeditorial.es
  ISBN: 978-84-9181-483-2
  Depósito legal: M. 5.358-2019
  Printed in Spain

SI QUIERE RECIBIR INFORMACIÓN PERIÓDICA SOBRE LAS NOVEDADES DE ALIANZA EDITORIAL, ENVÍE UN CORREO ELECTRÓNICO A LA DIRECCIÓN:
alianzaeditorial@anaya.es

nadie abandona su hogar, a no ser que
su hogar sea la boca de un tiburón.

solo corres hacia la frontera
cuando ves que toda la ciudad
también corre hacia allí.

Warshan Shire, «Hogar»

ÍNDICE

Prólogo

En una ocasión que paseaba por las calles de Birmingham con mis hermanos, mamá y papá, me detuve por un momento para sentir la paz. Estaba a nuestro alrededor, en los árboles que se mecían suavemente en la brisa, en el sonido de los coches que pasaban, en la risa de una niña, en una muchacha y un chico que se cogían tímidamente de la mano mientras se rezagaban de sus amigos. Pero también siento la paz en mi interior. Doy las gracias a Alá por todo, por estar viva, por sentirme segura, por que mi familia está segura.

Nunca deja de asombrarme que la gente dé la paz por supuesta. Yo doy las gracias por ella cada día. No todo el mundo tiene paz. Millones de hombres, mujeres y niños viven en medio de la guerra cada día. Su realidad es la violencia, hogares destruidos, vidas inocentes perdidas. Y su única elección para tener seguridad es marcharse. «Eligen» ser desplazados. Pero no es que sea precisamente una elección.

Hace diez años, cuando nadie conocía mi nombre fuera de Pakistán, tuve que abandonar mi hogar con mi familia y más de dos millones de personas del valle de Swat. Allí no estábamos seguros. Pero ¿adónde podíamos ir?

Yo tenía once años. Y estaba desplazada.

———————

Para cualquier refugiado o desplazado por la violencia, que es lo que con más frecuencia hace huir a la gente, parece que hoy no hay ningún lugar seguro. En 2017, según los cálculos de las Naciones Unidas, había 68,5 millones de personas desplazadas por la fuerza en todo el mundo, de las cuales 25,4 se consideran refugiadas.

Las cifras son tan impresionantes que nos olvidamos de que se trata de personas forzadas a dejar sus hogares. Son médicos y maestros. Abogados, periodistas, poetas y sacerdotes. Y niños, muchos niños. La gente olvida que eras una activista, una estudiante, que eras un padre llamado Ziauddin, una hija llamada Malala. Los desplazados que constituyen esas tremendas cifras son seres humanos que albergan la esperanza de un futuro mejor.

He tenido el inmenso privilegio de conocer a muchas personas que habían rehecho sus vidas, con frecuencia en lugares extraños por completo. Personas que han perdido mucho —también a seres queridos— y después han tenido que volver a empezar. Esto significa aprender una nueva lengua, una nueva cultura, una nueva forma de ser. Comparto mi historia de desplazada no por el deseo de dar protagonismo a mi pasado, sino para honrar a las personas que he conocido y a las que nunca conoceré.

He escrito este libro porque parece que mucha gente no comprende que los refugiados son personas normales. Todo lo que les diferencia es que se han visto atrapados en un conflicto y obligados a abandonar sus hogares, a sus seres queridos y las únicas vidas que han conocido. Han arriesgado mucho en el camino... ¿por qué? Porque con demasiada frecuencia se trata de una elección entre la vida y la muerte.

Y, como hizo mi familia hace una década, ellos eligieron la vida.

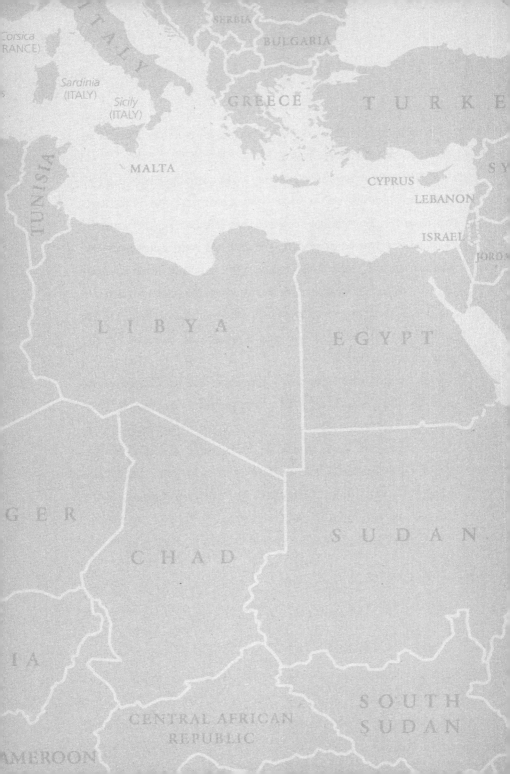

PARTE PRIMERA

SOY DESPLAZADA

CAPÍTULO 1

La vida que conocíamos

Cuando cierro los ojos y pienso en mi niñez, veo pinares y montañas nevadas; escucho ríos rápidos, siento la tierra calma bajo mis pies. Nací en el valle de Swat, en el pasado conocido como la Suiza del este. Otros lo han llamado paraíso, y así es como veo Swat. Es el telón de fondo de todos los recuerdos más felices de mi infancia: voy corriendo por la calle con mis amigas; juego en la azotea de nuestra casa en Mingora, la principal ciudad de Swat; visitamos a nuestros primos y familia extensa en Shangla, la aldea en la montaña donde nacieron mis padres; escucho a mi madre y a sus amigas charlando en torno al té de la tarde en casa, y a mi padre discutiendo de política con sus amigos.

Recuerdo a mi padre hablando sobre los talibanes, pero como una amenaza lejana. Ya desde muy pequeña me interesó la política y escuchaba todo lo que mi padre y sus amigos hablaban, aunque no siempre lo entendiera. En aquellos días los talibanes estaban en Afganistán, no en Pakistán. No teníamos que preocuparnos. Desde luego, no eran algo que nos pudiera inquietar ni a mí ni a mi hermano, Khushal. Y después llegó Atal, el pequeño. Mi gran problema era cómo me sentía ante la perspectiva de que esos hermanos se apoderaran de la casa.

Esto empezó a cambiar en 2004. Yo solo tenía seis años, así que al principio no noté nada, pero cuando pienso en aquella época, mis recuerdos están teñidos del temor que debí de haber visto crecer en los ojos de mis padres. Cinco años después, mi querido Swat ya no era un lugar seguro y nos vimos obligados a abandonarlo junto con cientos de miles de personas.

Al principio, todo fue despacio. En nuestro país había empezado a mejorar la condición de las mujeres, pero nuestra región estaba retrocediendo. En 2003 mi padre abrió su primer colegio, en el que niños y niñas iban a clase juntos. En 2004 las clases mixtas ya no eran posibles.

El terremoto de 2005 no solo fue devastador por la destrucción que provocó y las víctimas que dejó —más de setenta y tres mil personas, de ellas dieciocho mil niños—, sino también porque dejó supervivientes vulnerables. Cuando los hombres de un grupo extremista que había proporcionado ayuda a muchas de las personas desplazadas por este desastre natural empezaron a predicar que el terremoto era una advertencia de Dios, la gente les escuchó. Aquellos hombres, que después formarían parte de los talibanes, no tardaron en predicar interpretaciones estrictas del islam en la radio local, afirmando que las mujeres se debían cubrir el rostro por completo y que la música, el baile y las películas occidentales eran pecado. Que los hombres debían dejarse crecer la barba. Que las niñas no debían ir a la escuela.

Ese no era nuestro islam.

Eran religiosos fundamentalistas que afirmaban que querían volver a una forma de vida antigua, lo que resulta irónico si se piensa que se servían de la tecnología —la radio— para difundir precisamente ese mensaje. Atacaron nuestras costumbres cotidianas en nombre del islam. Decían a la gente lo que podía vestir, lo que podía escuchar, lo que podía ver. Y, sobre todo, intentaban anular los derechos de las mujeres.

Para 2007, los dictados se habían vuelto más agresivos y específicos. No solo exigían que televisores, ordenadores y otros dispositivos electrónicos desaparecieran de los hogares, sino también que fueran quemados y destruidos. Todavía puedo oler el hedor del plástico y los cables al fundirse en las hogueras que organizaron. De forma agresiva trataron de impedir que las niñas fueran al colegio, elogiando por su nombre a los padres que no las llevaban, así como a las propias niñas, y condenando, también por su nombre, a aquellos que las llevaban. Pronto declararon que educar a las niñas era antiislámico.

¿Cómo iba a ser antiislámico ir a la escuela? Para mí, eso no tenía sentido. ¿Cómo podía ser antiislámico algo así?

En general, mi familia ignoró aquellas órdenes, aunque empezamos a bajar el volumen del televisor por si nos oía alguien que pasara por la calle.

El llamamiento a mantener a las niñas en casa también inquietó a mi padre, Ziauddin. Él dirigía los dos colegios que había levantado de la nada, uno de ellos para niñas. Al principio, a mi padre aquellos extremistas le parecían algo marginal, algo enojoso más que verdaderamente terrorífico. Hasta entonces su activismo se había centrado en el medio ambiente: la contaminación del aire y el acceso al agua potable se habían convertido en verdaderos problemas. Él y varios amigos suyos habían fundado una organización para proteger el medio ambiente, así como para promover la paz y la educación en el valle de Swat. Para algunos, empezaba a ser conocido como un hombre al que había que escuchar; para otros, como un agitador. Pero mi padre tiene un profundo sentido de la justicia y no puede evitar luchar por el bien.

Los talibanes fueron consiguiendo más seguidores y más poder, y la vida que conocíamos no tardó en convertirse en una colección de recuerdos felices.

Las palabras «talibán» y «militante» entraron en nuestras conversaciones diarias; ya no era simplemente algo de lo que se hablara en las noticias. Y por todo Mingora se rumoreaba que los militantes se estaban introduciendo en el valle de Swat.

Empecé a ver por la calle a hombres con barbas largas y turbantes negros. Uno de ellos podía intimidar a toda una aldea. Ahora patrullaban nuestras calles. Nadie sabía quiénes eran exactamente, pero todo el mundo se daba cuenta de que estaban relacionados con los talibanes y se encargaban de hacer cumplir sus decretos.

Yo tuve mi primer roce real con los talibanes cuando nos dirigíamos a visitar a la familia en Shangla. Mi primo llevaba varias cintas de música en el coche para el viaje y acababa de poner una cuando vio que, más adelante, dos hombres con turbantes negros y chalecos de camuflaje estaban parando los coches.

Mi primo sacó la casete, cogió las otras y se las pasó a mi madre. «Escóndelas», susurró.

Mi madre las metió en su bolso sin decir una palabra mientras el coche frenaba hasta detenerse.

Los hombres tenían largas barbas y ojos crueles. Cada uno llevaba una ametralladora al hombro. Mi madre se cubrió la cara con el velo y vi que las manos le temblaban, por lo que mi corazón empezó a latir más deprisa.

Uno de los hombres nos preguntó desde la ventanilla: «¿Tenéis casetes o cd?».

Mi primo negó con la cabeza y mi madre y yo permanecimos en silencio. Temía que el talibán pudiera oír los fuertes latidos de mi corazón o viera cómo le temblaban las manos a mi madre. Contuve el aliento cuando metió la cabeza por la ventanilla de atrás y se dirigió a las dos: «Hermana —me dijo con gravedad—, deberías cubrirte la cara».

Yo quería preguntar: «¿Por qué? Solo soy una niña». Pero el kalashnikov que llevaba al hombro me impidió hablar.

Nos indicaron que siguiéramos, pero toda la alegría que habíamos sentido antes desapareció. Pasamos la hora siguiente en un silencio absoluto. Las casetes continuaron en el bolso de mi madre.

El miedo que había estado creciendo a nuestro alrededor ya estaba demasiado cerca como para que pudiéramos ignorarlo. Y entonces comenzó la violencia.

CAPÍTULO 2

¿Cómo era posible que estuviera ocurriendo esto?

Tenía once años cuando los talibanes empezaron a poner bombas en los colegios de niñas en todo el valle de Swat. Realizaban los atentados de noche, por lo que al menos nadie resultaba herido, pero imagina lo que es llegar al colegio por la mañana y encontrarte un montón de escombros. Era más que una crueldad.

Habían empezado cortándonos la electricidad y atacando a los políticos locales. Incluso prohibieron los juegos infantiles. Nos habían contado historias de talibanes que oían a niños reírse en sus casas y habían irrumpido en ellas para destruir el juego. También ponían bombas en las comisarías y atacaban a la gente. Si oían que alguien hablaba en contra de ellos, lo denunciaban por su nombre en su emisora. Y a la mañana siguiente esas personas a veces aparecían muertas en la plaza Verde, el centro de nuestra ciudad, frecuentemente con notas prendidas a la ropa en las que se exponían sus presuntos pecados. Aquello no dejó de empeorar hasta el punto de que, cada mañana, había una hilera de cadáveres en el centro de la ciudad, por lo que la gente empezó a llamarla plaza Sangrienta.

Todo eso formaba parte de su propaganda extremista. Y funcionaba: estaban imponiendo su control sobre el valle de Swat.

A mi padre le habían advertido de que dejara de hablar a favor de la educación de las jóvenes y de la paz. No hizo caso. Pero empezó a utilizar distintos caminos para venir a casa por si le seguían. Y yo adopté una nueva costumbre: comprobaba que las puertas y ventanas estaban bien cerradas antes de irme a dormir cada noche.

Nos dio esperanza que el ejército enviara tropas a Swat para protegernos. Pero eso también significaba que la lucha se había acercado. Tenían una base en Mingora, cerca de nuestra casa, por lo que yo oía el zumbido de las hélices de los helicópteros cortando el espeso aire de la mañana, y miraba hacia arriba para ver aquellas moles de metal llenas de soldados. Esas imágenes, lo mismo que los combatientes talibanes con ametralladoras por las calles, se convirtieron en una parte tan importante de nuestras vidas que mis hermanos y sus amigos empezaron a jugar a talibanes contra el ejército en vez de al escondite. Se hacían armas de papel, representaban batallas y se «disparaban» unos a otros. En vez de contarnos cotilleos sobre nuestras estrellas de cine favoritas, mis amigas y yo intercambiábamos información sobre las amenazas de muerte y nos preguntábamos si volveríamos a sentirnos seguras algún día.

Esa era nuestra vida ahora. Nunca hubiéramos podido imaginar que sería así.

Cosas espeluznantes se hicieron normales. Oíamos el estrépito de las bombas al estallar y notábamos cómo temblaba el suelo. Cuanto más fuerte retumbaban, más cerca habían caído. El día que no oíamos ninguna explosión decíamos: «Hoy ha sido un buen día». Si por la noche no oíamos armas de fuego crepitando como petardos, incluso podríamos dormir toda la noche seguida.

¿Cómo era posible que estuviera ocurriendo esto en nuestro valle?

A finales de 2008 los talibanes emitieron un nuevo decreto. El 15 de enero de 2009 tenían que estar cerrados todos los colegios de niñas, o se arriesgaban a sufrir atentados. Incluso mi padre obedeció esta orden, porque no podía poner en peligro a sus alumnas ni a su hija.

Por aquel entonces yo ya había empezado a escribir un blog para el servicio en urdu de la BBC que más tarde contribuiría a que, más allá de nuestras fronteras, el mundo conociera nuestra historia y la verdad del ataque a la educación de las niñas en Pakistán. Había escrito sobre cómo el camino al colegio, que en el pasado había sido un breve placer, se había convertido en una atemorizada carrera. Y cómo de noche mi familia y yo a veces nos acurrucábamos juntos en el suelo, lo más lejos posible de las ventanas, cuando oíamos las explosiones de las bombas y el ratatatá de las ametralladoras en las colinas circundantes. Echaba de menos los días en que íbamos allí de excursión. Lo que había sido nuestro refugio se había convertido en un campo de batalla.

Con el anuncio de la prohibición, muchas niñas dejaron de ir a clase o se marcharon de la región para estudiar en otro sitio: mi clase de veintisiete se quedó reducida a diez. Pero mis amigas y yo seguimos yendo hasta el último día. Mi padre pospuso lo que habrían sido las vacaciones de invierno para que aprovechásemos en el colegio tanto como fuera posible.

Cuando llegó el día en que mi padre se vio forzado a cerrar nuestro colegio de niñas, no solo estaba afligido por sus alumnas, sino también por las cincuenta mil niñas de la región que habían perdido el derecho de ir a la escuela. Cientos de escuelas tuvieron que cerrar.

Celebramos una asamblea en el colegio y algunas de nosotras hablamos contra lo que estaba ocurriendo. Aquel día nos quedamos allí todo lo posible. Jugamos a rayuela y nos reímos. Pese a la amenaza que acechaba, éramos niñas actuando como niñas.

En casa fue un día triste para todos, pero a mí me afectó profundamente. La prohibición de las escuelas para niñas significaba la prohibición de mis sueños, ponía un límite a mi futuro. Si no me formaba, ¿qué futuro tenía?

Capítulo 3

Desplazada interna

Al término de lo que técnicamente eran nuestras vacaciones de invierno, mis hermanos volvieron al colegio, pero yo no. Khushal bromeaba diciendo que a él le gustaría poder quedarse en casa. Yo no lo encontraba gracioso.

Los talibanes seguían poniendo bombas en los colegios. En la entrada de mi blog para la BBC, solo unos días después de que la escuela cerrara, escribí: «Estoy muy sorprendida, porque si esas escuelas habían cerrado, ¿qué necesidad había de destruirlas?».

Mi padre continuaba con su campaña pública y yo me uní a él con apariciones en televisión y entrevistas en la radio. La prohibición de la educación de las niñas era tan impopular que el líder de los talibanes se convenció de que era preferible suavizarla y en febrero accedió a levantar la prohibición para las niñas hasta el cuarto curso. Yo estaba en quinto. Pero sabía que esta era mi oportunidad, así que fingí ser más pequeña, y mis amigas hicieron lo propio. Durante unos meses dichosos fuimos a lo que llamábamos nuestra «escuela secreta».

———————

Cuando, poco después, se acordó la paz entre el ejército y los talibanes, respiramos con alivio. Pero nunca llegó a instaurarse verdaderamente y los talibanes ganaron poder. Las cosas se pusieron tan mal que el 4 de mayo de 2009 las autoridades gubernamentales anunciaron que todo el mundo tenía que abandonar Swat. El ejército tenía previsto lanzar una gran ofensiva contra los talibanes y se esperaban fuertes combates, por lo que la población no estaría segura en el valle.

Mi familia escuchó la noticia consternada. Teníamos dos días para evacuar.

Mi madre empezó a llorar, pero mi padre se limitó a permanecer allí sacudiendo la cabeza: «Es imposible que ocurra esto».

Pero solo había que salir a la calle: ya estaba ocurriendo. La calzada estaba inundada de coches atestados y de autobuses a rebosar. Había gente huyendo en motos y camiones, en rickshaws y carretas de mulas, todos con la misma mirada de shock en los ojos muy abiertos. Miles de personas también huían a pie porque no había suficientes vehículos. Metían sus pertenencias en bolsas de plástico, se amarraban los bebés al cuerpo y transportaban en carretillas a los más mayores.

Pero mi padre se negó a ceder. Seguía diciendo que esperaríamos a ver si aquello iba en serio.

La tensión en nuestra casa llegó a ser tan palpable que mi madre acabó por llamar a un amigo de mi padre que era médico y le dijo: «Venga rápidamente. Este hombre está loco. Se quiere quedar y corremos peligro».

Ese mismo día, llegó corriendo a casa un pariente nuestro con la noticia. Un primo lejano había sido atrapado en un intercambio de disparos entre el ejército y los talibanes. Había muerto.

Mi madre empezó a hacer el equipaje. Al día siguiente nos fuimos a Shangla. Nos convertiríamos en PDI: personas desplazadas internamente.

Yo no soy una persona sentimental, pero aquel día lloré. Lloré por la vida que me estaban obligando a abandonar. Temía no volver a ver mi casa ni la escuela ni a mis amigas. Un corresponsal me había preguntado hacía poco cómo me sentiría si tuviera que marcharme de Swat algún día y no pudiera volver nunca más. En aquel momento me pareció una pregunta ridícula, porque ni siquiera podía imaginar esa posibilidad. Y ahí estábamos ahora, marchándonos, y ni siquiera sabía cuándo regresaríamos, si es que regresábamos alguna vez.

Como mis hermanos pidieron a mi madre llevarse a sus pollos mascotas (cuando mi madre dijo que ensuciarían el coche, Atal respondió que podían ponerles pañales), cogí algo de ropa y llené una bolsa con libros del colegio. Era mayo y teníamos los exámenes a finales de junio. Yo no dejaba de preguntar: «¿Cuándo volveremos? ¿En una semana? ¿En un mes? ¿En un año?». Nadie podía responder; todo el mudo estaba muy ocupado haciendo las maletas. Mi madre me hizo dejar los libros en casa porque no había sitio. Desesperada, los escondí en un armario y recé silenciosamente para que regresáramos pronto a casa. También dijo que no a mis hermanos.

Como no teníamos coche, nos dividimos y nos embutimos en los coches de dos amigos, que ya iban llenos. Yo fui con mi amiga Safina y su familia, que seguía al coche del amigo de mi padre, en el que iban los demás miembros de mi familia. Y nos unimos a la larga fila de coches que abandonaban Mingora aquel día. Los talibanes habían bloqueado muchas calles, en algunos casos cruzando árboles que habían cortado, a fin de desviar el tráfico a unas pocas carreteras. Las calles estaban tan atascadas y caóticas que nos eternizamos para salir de la ciudad. En un momento determinado pasamos junto a un gran camión que tenía una pequeña plataforma entre las dos ruedas delanteras. Esa plataforma no era para llevar pasajeros, pero vi a dos personas sentadas allí, agarradas al capó, mientras el camión se abría paso por las calles. Caerse entre las ruedas de un camión era preferible a permanecer en Mingora. Esas eran las opciones que la gente tenía aquel día.

Desde la relativa comodidad de nuestro atestado coche, yo observaba la marea humana. Mujeres cargando con una bolsa en un hombro y un niño en el otro. Personas con bolsas tan llenas que caminaban encorvadas bajo su peso, mientras que otras no llevaban nada, ni siquiera zapatos. Vi coches de cinco plazas en los que viajaban diez personas; camiones para diez en los que viajaban veinte. Una mujer que llevaba a sus dos hijas con un pañuelo atado a sus manos para asegurarse de que no se perdían en el tumulto.

¿Qué elección era esta? Para nuestra región era como el fin del mundo. Lo que nosotros y todas aquellas personas estábamos haciendo no era elegir: era sobrevivir.

La carretera que solíamos tomar para ir a Shangla estaba cortada por un nutrido grupo de talibanes armados, por lo que ese día tuvimos que ir por un camino más largo. Evacuar a los civiles era la única posibilidad que tenía el ejército de derrotar a los talibanes sin causar gran número de víctimas. Los talibanes lo sabían, por lo que a ellos les convenía impedir que nos fuéramos a fin de disponer de escudos humanos inocentes.

El primer día llegamos hasta Mardan, a unos ciento diez kilómetros de distancia. Ya había campos preparados, pero tuvimos la suerte de alojarnos con un amigo de mi padre. Recuerdo poco de aquella primera noche, excepto el temor y la desesperanza que sentía. Mis pensamientos eran una confusión de preguntas sin respuesta: ¿Qué va a ser de nosotros? ¿Se salvará nuestra casa? ¿Cómo ha llegado a ocurrir esto? ¿Va a ser así nuestra vida ahora?

Mi padre no dejaba de decir que esto no duraría más que unos días y que las cosas volverían a su cauce, pero todos sabíamos que eso no era cierto.

A la mañana siguiente nos dispusimos para continuar nuestro viaje a Shangla, y mi padre fue a Peshawar. Había decidido quedarse allí para trabajar con tres amigos suyos activistas y presionar al gobierno a fin de que restableciese la paz en Swat y todos sus habitantes pudiéramos regresar cuanto antes. Quería que en todas partes se supiera lo que estaba ocurriendo en nuestra región.

Cuando abracé a mi padre al despedirnos, contuve las lágrimas. Tenía tantas preguntas: ¿Cuándo volveré a verte? ¿Te las arreglarás por tu cuenta? ¿Nos las arreglaremos sin ti? Pero se me hizo un nudo en la garganta y en vez de palabras solo salieron grandes sollozos. Enterré mi cara en el pecho de mi padre, tratando de ahogar el llanto.

«*Jani* —dijo, empleando el nombre cariñoso con el que me llamaba, que significa "querida amiga" en persa—, tienes que ser fuerte».

Después de tres días de viaje incierto, durante los cuales permanecimos una noche en casa de unos desconocidos amables y otra en un hotel sucio, tuvimos que caminar los últimos veinticinco kilómetros cargando con nuestras cosas. Lo que queríamos todos era seguridad y ver algo conocido. Quedarnos en un sitio. Nunca en mi vida he deseado tanto simplemente sentarme.

Yo tenía once años, era lo bastante mayor para comprender por qué huíamos. Atal tenía cinco y solo sabía que teníamos que huir. Pero, al cabo de un tiempo, también cesaron mis interminables preguntas y lo único que sentía era lo mismo que Atal: agotamiento.

Cuando por fin llegamos a la aldea, exhalé el suspiro que había estado conteniendo durante días, desde que conocimos la orden de evacuar. Nos recibieron con los brazos abiertos y caras de preocupación. Mi tío —hermano de mi padre— fue el primero en hablar: «Los talibanes acaban de irse de aquí. No sabemos si volverán».

Mi madre se limitó a sacudir la cabeza, demasiado cansada para llorar.

Ningún sitio era seguro.

La casa de mi tío tenía paredes de piedra, tejado de madera y el suelo polvoriento. Olía como la tierra: a bosque y humedad. Cerré los ojos, tratando de absorber el olor del barro, que era uno de mis favoritos por lo que significaba. Hogar. Familia. Y, al menos por un momento, paz.

Capítulo 4

Shangla

En Shangla nos recibió nuestra familia. Vivíamos entre la casa del hermano de mi madre y la del hermano de mi padre, para que ninguna de ellas estuviera abarrotada durante mucho tiempo. A mí me gustaba estar con mi tío Ajab, hermano de mi madre, porque la noche que llegamos su hija mayor, Sumbul, me invitó a ir a la escuela con ella.

En cuanto me desperté esa misma mañana me vestí para ir a la escuela, contenta de hacer algo que parecía casi normal. Entonces fue cuando me di cuenta de que el top que había guardado en la maleta no pegaba con mis pantalones. Sumbul sonrió cuando vio mi dilema y me ofreció prestarme alguno de sus shalwar kamiz. Puede que alguna vez me hubiera burlado un poco de ella por su ropa de campo, pero ese día le estuve agradecida.

Después de desayunar nos pusimos en marcha y caminamos media hora hasta la escuela por una calzada de grava que subía por la montaña. Yo quería hacer tantas preguntas a Sumbul sobre su escuela, sus amigas, su clase favorita... Aunque me preocupaba lo que contaba mi padre y lo que ocurría en Swat, estaba entusiasmada de poder ir todavía al colegio, especialmente porque me encontraba allí a causa de los talibanes, que habían prohibido a las niñas ir a la escuela. Me gustaba la idea de que aunque me había visto obligada a huir de mi casa por sus dictados, aún podía desafiarlos.

Me incorporé a la clase de Sumbul, aunque estaba un curso más adelantada que la mía, y me asombró ver solo a otras dos niñas en un aula en la que había más una docena de chicos. También me desagradó ver a mi prima y a las otras niñas cubrirse la cara cuando entró el maestro. Yo no me la cubrí. Ni ella ni las demás hablaron durante la clase. Nunca levantaban la mano ni hacían preguntas. Cuando llegó el primer recreo, todos los niños salieron disparados del aula a tomar un tentempié o al baño. Pero las niñas no se movieron de su sitio, hablando en voz baja entre ellas.

Aunque estaba en mi país y con mi familia, yo me encontraba fuera de lugar. Hablaba demasiado y no miraba hacia

24

abajo cuando el maestro entraba en el aula. No es que fuera
irrespetuosa; simplemente estaba siendo yo misma en el
aula: siempre educada, pero no tímida. Hacía preguntas,
como todos los chicos, pero era la última a la que se dirigía el
profesor.

De camino a casa, pregunté a Sumbul por qué no hablaba
en clase. Se limitó a encogerse de hombros, y no quise insis-
tir.

———————

Era agradable estar con la familia, pero la razón era preocu-
pante. ¿Reconoceríamos Mingora a nuestro regreso? ¿Se reti-
rarían los talibanes? ¿Los vencería el ejército? Y, en todo caso,
¿qué significaría esta victoria?

Durante las semanas siguientes nuestra vida transcurrió
sin cambios. Yo iba a la escuela con Sumbul, hacía los deberes
o leía o jugaba con mis primas, y esperaba con impaciencia
noticias de mi padre. Me gustaba estar con mis primas —yo
siempre había disfrutado en Shangla—, pero esto era otra
cosa. Mis visitas normalmente eran por un periodo de tiempo limitado. Sin embargo, ahora no sabíamos cuánto tiempo
nos quedaríamos.

Mi madre tenía un móvil Nokia, pero la cobertura era tan
mala en las montañas que para conectarse tenía que subirse

25

a un peñasco en medio de un campo. Cada día intentaba llamar a mi padre, pero no siempre conseguía la conexión.

Por fin, al cabo de unas seis semanas, mi padre nos dijo que podíamos reunirnos con él en Peshawar.

El viaje desde Shangla no fue tan arduo —no había carreteras cortadas por el ejército ni talibanes bloqueándonos el camino—, pero no avanzábamos con la suficiente rapidez.

Cuando llegamos, mi padre nos estaba esperando con los brazos extendidos y una gran sonrisa a la entrada de la casa de un amigo suyo que le había invitado a quedarse. Parecía más delgado pero feliz. Mis dos hermanos saltaban en los asientos, peleándose por ver cuál era el primero que abría la puerta del coche. Todos nos abalanzamos sobre él en un gran abrazo y, por una vez, mis lágrimas fueron de felicidad.

Estábamos juntos; estábamos a salvo.

Pasamos las semanas siguientes yendo de un sitio a otro, alojándonos en casa de amigos y allegados generosos. Aparte de todo lo demás, ser un desplazado significa tener la preocupación de ser una carga para los demás.

Como millones de otras personas, teníamos tarjetas de PDI para obtener las raciones de comida. Incluso personas acomodadas en el pasado, que quizá habían poseído campos de cereales, ahora hacían cola para conseguir un paquete de harina.

Celebré mi duodécimo cumpleaños en casa de una tía en Haripur, nuestra cuarta ciudad en dos meses. Aunque *celebrar* no es la palabra más adecuada; nadie se acordó. (Mi prima me compró una tarta, pero después de medianoche. Ya no era mi cumpleaños. Sabía que todos se habían olvidado). A pesar de nuestra situación, yo había esperado al menos una pequeña sorpresa, así que fue una decepción. Ahora parece ridículo pensar en la pequeña Malala, sintiendo pena de sí misma el día de su cumpleaños, mientras que tantas personas ni siquiera tenían la suerte de estar al calor del hogar de un allegado. Tenía nostalgia de la despreocupación de mi cumpleaños anterior, cuando compartí una tarta con mis amigas. Todo lo que quería era regresar a Mingora, volver al hogar que conocía antes de los talibanes.

Pero creo que, incluso con doce años, me daba cuenta de que el hogar que conocía ya no existía más que en mis sueños. Con todo, aunque no había velas para apagar, cerré los ojos deseando la paz.

Capítulo 5

Regresamos a casa

Cuando recibimos la noticia de que por fin podíamos volver a casa, me sentí casi paralizada. A veces deseamos algo con tanta intensidad que, cuando llega, nos preguntamos: ¿Es de verdad?

Mientras me sentaba junto a mi padre en el asiento trasero de la camioneta roja de un amigo de la familia, pensaba: «Sí, es de verdad». ¡Iba a casa! Volvía a mi cama y a mis libros. A mis amigas y vecinas. ¡A la escuela!

Pero el camino a casa atenuó mi entusiasmo y despertó mi ansiedad. Por el camino pasamos junto a varias casas llenas de impactos de balas y otras reducidas a escombros. Por todas partes había señales de guerra recientes, pero por lo demás reinaba la calma. ¿Qué nos aguardaba? ¿Lo mismo que esas aldeas por las que pasábamos? ¿Cuánto tardaríamos en arreglarlo todo? El sol brillaba y el cielo era de un azul resplandeciente en el que se dibujaban las nubes. Las cascadas que conocíamos descendían por escabrosos barrancos, destelleantes recuerdos de lo que Swat había sido.

Mi padre suspiró con fuerza cuando nos aproximamos a Mingora y vio delante de nosotros el río Swat. Le miré a la cara, húmeda por las lágrimas, y comprendí por qué estaba tan emocionado. Sentí un vuelco en el corazón. Fue como el que sentí cuando me reuní con él en Peshawar. Creo que era esperanza.

Ahora sé que fui afortunada al experimentar la esperanza que sentí al ver mi ciudad de nuevo. Mucha gente ni siquiera tiene eso. Pero esa esperanza se apagó en seguida, porque la ciudad de la que me marché no es la ciudad a la que volví.

———

Habían pasado casi tres meses desde que partimos en un torrente de personas frenéticas que huían para salvar la vida. Sin embargo, a nuestro regreso, las calles estaban vacías. No había autobuses, ni coches, ni rickshaws. Ni gente. Todo estaba tan silencioso que el ruido sordo del motor del coche era lo único que se oía sobre los esfuerzos de mi padre por contener las lágrimas.

En el coche reinaba el silencio mientras veíamos cómo había cambiado nuestra ciudad. Casi todos los edificios estaban agujereados por las balas o reducidos a escombros. Coches quemados abandonados en medio de la calle. Pero también me percaté de que por ninguna parte se veían los hombres enmascarados con ametralladoras que habían causado esa destrucción.

Me partía el corazón ver todos esos destrozos en mi querido valle de Swat y de nuevo volví a sentir rabia por haber tenido que huir y por la violencia que los había provocado.

Estaba nerviosa cuando llegamos a nuestra casa. ¿Y si la habían bombardeado? También habíamos oído rumores de saqueos. ¿Qué nos encontraríamos? Mi padre abrió la puerta del jardín, donde la hierba ahora me llegaba hasta las rodillas.

La casa estaba en silencio, un poco polvorienta, pero, por lo demás, igual que como la habíamos dejado. Todo estaba en su sitio. Mis hermanos corrieron al jardín de atrás para ver a los pollos y volvieron llorando. Se habían muerto de hambre. Cuando vi sus cuerpecitos, sus plumas y sus alas rígidas entrelazadas como si se hubieran abrazado mientras agonizaban, me tragué una tristeza salada. No esperaba que los pollos sobrevivieran, pero sus esqueletos recubiertos de plumón me parecían simbólicos de algo mucho más grande.

Fui corriendo al armario de la habitación de invitados: mi bolsa de libros estaba exactamente donde la había dejado.

Emocionada, me retiré a mi cuarto para calmarme. Estábamos en casa, mis libros estaban sanos y salvos, los talibanes se habían marchado. Me parecía que todo esto eran buenas noticias. Así que ¿por qué me invadía la tristeza?

———————

Más tarde aquel día, fui con mi padre a ver en qué estado se encontraba el colegio. Las carreteras, normalmente congestionadas de tráfico, estaban vacías. Nuestra ciudad, que había sido tan bulliciosa, permanecía en silencio como un cementerio.

Mientras que nuestra casa estaba prácticamente intacta, era evidente que el ejército había utilizado la escuela como base de operaciones. Los pupitres estaban volcados y en la pared habían hecho agujeros lo bastante grandes para el cañón de una ametralladora. Había papeles tirados por todas partes y unas cuantas colillas apagadas. Mientras íbamos de aula en aula, mi padre no dejaba de sacudir la cabeza atónito.

En los días siguientes, mi padre se puso en contacto con el personal del colegio. Todo el mundo quería volver a trabajar. La gente necesitaba cierta apariencia de normalidad. Y había tanto que hacer para conseguirla. Habíamos regresado, pero nos enfrentábamos a nuevas dificultades. Habíamos vuelto a una zona de guerra y estábamos preparados para empezar a reconstruir nuestras vidas y nuestra ciudad.

Estar de vuelta en Mingora tenía algo de victoria. Estábamos felices de que por fin hubiera paz, pero no podíamos quitarnos la sensación de que nadie estaba a salvo en ningún sitio.

Antes de que fuéramos desplazados, los combatientes talibanes se paseaban abiertamente por las calles. Ahora se ocultaban y el terror lo practicaban asesinando a objetivos concretos. Ya no los veíamos, pero seguían luchando. Sus hombres podían estar en cualquier lugar, en el mercado, junto a un colegio, en un autobús, aunque no con su aspecto habitual. Su red estaba rota, pero aún existían en pequeñas bolsas. Los talibanes no habían sido destruidos, solo se les había dispersado.

La vida volvía a la normalidad. Las calles se llenaron de taxis y rickshaws. Las tiendas abrieron, lo mismo que las escuelas y otras actividades. Nosotros estábamos preparando nuestra escuela para su apertura y retomando el contacto con amigos y vecinos. La tensión que sentíamos al saber que el ejército había librado Swat de los talibanes pero no los había derrotado se convirtió en parte de nuestra vida cotidiana: a

veces, solo un débil zumbido de ansiedad que era fácil igno-
rar, pero, en otros momentos, como después de la noticia de
un atentado, un estruendoso temor que era difícil ahogar.

Volví a hablar públicamente por la educación de las niñas.
Había formado una plataforma gracias a toda la atención de
los medios cuando denuncié la prohibición de que las niñas
fuéramos a la escuela y escribía mi blog, y quería seguir utili-
zándola. Ya había empezado a ver cambios positivos. Cuatro-
cientas escuelas habían sido destruidas (el setenta por ciento
de ellas, escuelas de niñas), pero muchas habían sido recons-
truidas. La situación estaba mejorando; incluso había dismi-
nuido el número de asesinatos a objetivos concretos. Volvíamos a sentir algo parecido a la seguridad. La mejora había
sido tan considerable que, con el tiempo, enmudeció incluso
el débil zumbido de ansiedad y apenas pensábamos en los talibanes.

Pero la vida no transcurrió según lo previsto. Yo había
pensado que terminaría mi formación y quizá me convertiría
en una política para ayudar a las niñas en Pakistán. Entonces,
el 9 de octubre de 2012, me dispararon. Los talibanes me habían señalado por defender públicamente la educación de las
niñas y la paz.

La historia de lo que ocurrió aquel día ya ha sido contada
repetidas veces, y no volveré a ella aquí. Todo lo que hace fal-

ta saber es que cuando pasas por una experiencia así, después suele haber dos vías extremas: bien pierdes la esperanza por completo y te desmoronas, bien te haces tan resistente que ya nada podrá hundirte.

Mi vida había cambiado otra vez por una circunstancia que estaba fuera de mi control. Esta vez la violencia solo estaba dirigida contra mí, pero afectó a muchas personas de mi vida. Dentro de Pakistán me trasladaron de Mingora a Peshawar y a Rawalpindi para tratarme, y, una semana más tarde, todavía en coma inducido, me llevaron a Birmingham, Inglaterra.

No me acuerdo del atentado en sí, lo que es una suerte, ni de nada de la semana posterior. Todo lo que recuerdo es que estaba en el autobús del colegio, hablando con mis amigas sobre los exámenes, y después abrí los ojos en un hospital.

Tenía hematomas, dolores de cabeza fuertísimos y había perdido audición en un oído y el movimiento en el lado izquierdo de la cara. No me podía mover de la cama del hospital. Estaba sola en una ciudad extranjera con médicos que parecían conocerme pero a los que yo no conocía. Estaba desplazada de nuevo. Esta vez con máquinas que me ayudaban a mantenerme viva.

Y, sin embargo, no me hundí.

Capítulo 6

Atrapada entre dos mundos

Cuando salí del hospital para comenzar mi nueva vida —casi tres meses después de que me transportaran urgentemente en avión a Inglaterra desde Pakistán—, lo primero que sentí fue un frío que traspasó la parka morada que me había dado alguien. Era dos tallas más grande que la mía y me sentía como una pequeña muñeca allí dentro. El aire helado se colaba por el cuello y las mangas y me traspasaba los huesos. Me parecía que nunca entraría en calor. El cielo plomizo se reflejaba en la nieve blanca que cubría el suelo dándole un tono apagado y casi lúgubre. Sentía una profunda añoranza de la calidez y la luz del sol de casa.

Fuimos por las calles de Birmingham hasta el rascacielos al que mis padres se habían mudado después de pasar varias semanas en un hotel. La actividad de Birmingham me recordaba un poco a Islamabad, aunque aquí los rascacielos eran tan altos que te daba vértigo cuando levantabas la vista para mirarlos. Algunos edificios estaban iluminados con luces de neón que encendían un palpitante arcoíris de colores, mientras que otros parecían como envueltos en papel de plata o revestidos de espejos.

La gente también era distinta: de tez blanca, más oscura y negra, europea, asiática y africana. Mujeres con burka caminaban por las calles heladas junto a mujeres en minifalda, cuyas piernas, cubiertas de carne de gallina, terminaban en unos zapatos con tacones de vértigo. Me reí para mis adentros al recordar que me había parecido el colmo de la liberalidad cuando en Islamabad veía mujeres sin pañuelo.

Cuando mi familia voló de Pakistán a Birmingham llegaron solo con lo puesto. No hubo tiempo para volver a casa, y tampoco era seguro. Eso significaba que tenían que empezar desde el principio en un mundo que les resultaba completamente ajeno. Comenzando con el piso. Mis padres tuvieron que comprar platos, cacerolas y cubiertos para poder comer en casa. En Pakistán esto habría hecho feliz a mi madre. Le encantaba comprar cosas bonitas para su cocina en Mingora, pero decía que aquí no las consideraba suyas. No tenía un sentimiento de pertenencia: se sentía como una extraña en un país extraño.

Es cierto que nos parecía que habíamos aterrizado en la luna: el aspecto, el olor, la impresión de todo era diferente. Por ejemplo, para llegar a nuestra casa era necesario subir en ascensor. Yo había usado uno el verano anterior con mi padre, por lo que al menos ya había tenido la experiencia de ser transportada en una estrecha caja de metal. Pero, para mi madre, era como una nave espacial. Literalmente cerraba los ojos en cuanto entraba y murmuraba plegarias. Y, una vez que se encontraba a salvo en el piso, la oía decir por lo bajo «¡Estamos en lo alto de este edificio! ¿Y si hay un incendio? ¿O un terremoto? ¿Adónde vamos?». En Pakistán solo teníamos que salir corriendo de casa. A mi madre le gustaba estar sobre el suelo.

Aquellos primeros días en Birmingham me recordaban cuando era una desplazada interna en Pakistán, excepto que las caras, la comida y la lengua aquí eran extrañas. Estábamos cómodos; no nos faltaba de nada, pero no habíamos venido aquí por decisión nuestra y echábamos de menos nuestro hogar.

Al principio pensaba que nuestra estancia en Birmingham sería temporal. Por supuesto, volvería a casa para los exámenes de marzo. No sabía que mi vida todavía estaba amenazada. Mis padres no querían asustarme.

Marzo llegó y pasó, y no hice los exámenes. Pero de todas formas, iba a regresar. Pronto. Y alcanzaría a las demás niñas de mi clase. Era la misma sensación que había tenido en el hospital, pero sin el temor de no saber dónde estaba mi familia: todo esto era temporal. En abril me matriculé en un colegio de niñas. Y empecé a comprender que quizá esta vida en Birmingham era mi vida ahora.

Había tanto a lo que tenía que acostumbrarme... de entrada, a llevar unos molestos leotardos azul oscuro bajo la larga falda de lana. ¡Echaba de menos la comodidad y la libertad de mi shalwar kamiz! El colegio era enorme —tres pisos de piedra—, con tres escaleras, roja, azul y verde, que conducían a los distintos pabellones de los edificios, que estaban conectados con pasillos e incluso con puentes. Era un laberinto. Tardé semanas en orientarme.

Al menos en el aula nadie notaba lo desubicada que me sentía. Pero entre clases y durante las horas de estudio y en la comida era imposible fingir. Era entonces cuando me sentía más sola: no sabía qué decir a las otras niñas, que se sentaban en grupos, riéndose o haciendo muecas. Yo hacía que leía el libro que tuviera a mano, echando de menos a Moniba, Malka-e-Noor, Safina y todas mis amigas de Mingora de una forma que me carcomía, como un hambre que no podía saciar. Las niñas de Birmingham parecían tan distintas de mis amigas... Sus gestos, la forma en que hablaban, tan rápidamente que las palabras se juntaban unas con otras. Yo no sabía si debía presentarme y hablarles. ¿O era más apropiado esperar a que me preguntaran? ¿Debía reírme con sus bromas? ¿O bromear yo también? Muchas veces utilizaban palabras que yo no usaría. ¿Debía hacer yo lo mismo? ¿Empezar a soltar tacos? ¿Reírme cuando ellas se reían?

Estaba tan cansada de tratar de responder a todas estas preguntas que esperaba impaciente que sonara el timbre del final de la jornada. Al menos en nuestra nueva casa podía hablar pashtún con mi familia y bromear con mis hermanos. Podía hablar por Skype con Moniba y ver culebrones indios con mi madre. Este era mi único consuelo.

Todavía no aceptaba lo difícil que iba a ser para mí regresar a Pakistán. Los talibanes me habían vuelto a amenazar públicamente, pero en mi mente joven y esperanzada, sabía que volvería. Así que, aunque me estaba acostumbrando a Birmingham, seguía aferrada a la idea de que aquello era temporal. No el comienzo de nuestra vida en el exilio. Era posible sentir al mismo tiempo que era temporal y que, de alguna forma, no lo era.

Una cosa que me ayudó fueron los miles de cartas que recibí de personas de todo el mundo, y en especial de niñas y mujeres que me daban las gracias por defender sus derechos. Me llegaron en un momento en que me encontraba en el precipicio de una decisión: continuar mi lucha por la educación de las niñas o no. Fue entonces cuando me di cuenta de que los talibanes habían fracasado; en vez de silenciarme, habían amplificado mi voz más allá de Pakistán. Personas de todo el mundo querían apoyar la causa que yo sentía con tanta pasión; querían apoyarme y me animaron. Eso me impulsó a continuar mi trabajo.

A partir de entonces, cuando alguien preguntaba: «¿Cuáles son tus planes?», yo respondía: «Seguir luchando por el derecho de las niñas a la educación». Había comenzado mi activismo en Pakistán y lo continuaría en mi nuevo hogar.

PARTE SEGUNDA

SOMOS DESPLAZADAS

Yo no soy una refugiada. Pero conozco la experiencia de ser desplazada, de tener que dejar mi casa, mi país, porque quedarse es demasiado peligroso. Cuando pienso en los refugiados y en los desplazados, lo que me viene a la mente es resistencia. Coraje. Valor. Recuerdo el primer viaje que hice al campo de refugiados de Zaatari en Jordania, en 2014, y a todos los sirios que conocí en la frontera. Habían llegado al final de sus angustiosos viajes, pero solo estaban al comienzo de sus nuevas e inciertas vidas. Pienso en Muzoon, en María y en Marie Claire. Pienso en Najla y en Zaynab. Y ellas no son sino unas pocas de las niñas y jóvenes extraordinarias que he conocido y que me han impulsado a profundizar en mi propia historia de desplazamiento para comprender y compartir las suyas.

Muchas personas creen que los refugiados solo deberían sentir dos cosas: gratitud hacia los países que les han concedido asilo y alivio por estar a salvo. Me parece que la mayoría de la gente no comprende las emociones encontradas que conlleva dejar atrás todo aquello que conoces. No solo están huyendo de la violencia —la razón por la que tantas personas se ven obligadas a marcharse y lo que se muestra en las noticias—, sino que también están escapando de sus países, de sus queridos hogares. Parece que este aspecto se omite cuando se habla de los refugiados y de las personas desplazadas internamente. Toda la atención se centra en dónde están ahora, no en lo que han perdido como consecuencia.

Yo estoy increíblemente agradecida al Reino Unido por la cariñosa acogida que nos ha dispensado a mi familia y a mí. Pero no pasa un día en que no eche de menos mi casa. Echo de menos a mis amigas y el sabor del té pakistaní que ha sido hervido con leche en un horno y endulzado con azúcar. Mi madre también hace aquí arroz con pollo, mi plato favorito, pero en Pakistán sabe distinto. No sabría explicarlo, salvo que allí es más sabroso. Lo mismo con el pescado, que es fino y lo freímos en la sartén con especias. Totalmente distinto del *fish and chips*, hecho en freidora que tanto le gusta a todo el mundo aquí, en Inglaterra. ¡A todo el mundo menos a mí! Echo de menos escuchar los sonidos del pashtún por la calle y el olor a tierra después de una tormenta en la aldea de la montaña en la que viven mis abuelos. Echo de menos el verde exuberante del valle de Swat, el lugar donde me sentí en casa durante los primeros quince años de mi vida.

Pero no echo de menos contener el aliento cada vez que veía soldados talibanes por las calles de Mingora. O comprobar una y otra vez si la puerta principal de nuestra casa estaba cerrada por la noche cuando tenía diez, once y doce años, y nuestro valle ya no era un lugar seguro. Tampoco echo de menos esperar hasta que mi padre regresaba a casa a medianoche después de una reunión con amigos contrarios a los talibanes. El estómago se me encoge solo de recordar aquellas noches sombrías en que permanecía despierta en la cama rezando para que volviera sano y salvo.

No echo de menos los sonidos de mi ciudad asediada: el zumbido de los helicópteros del ejército sobre nuestra casa o las explosiones de las bombas que cada vez eran más fuertes y se escuchaban más cerca antes de que el gobierno por fin decretara la evacuación.

Pero echo de menos mi casa. Y reconozco esta mezcla de sentimientos en las historias de las niñas y jóvenes con las que hablo. Nunca me vi a mí misma como defensora global de los refugiados. Cuando voy a un campo, me siento con la gente y pido que me cuenten sus historias. Así es como empezó. Conmigo escuchando. Y todos tienen sus propias listas de sonidos y olores y sabores que echan de menos, personas de las que no pudieron despedirse. Todos tienen momentos de sus viajes que nunca olvidarán, y rostros y voces que les gustaría poder recordar.

Yo he compartido mi historia en honor de las jóvenes que he conocido. Pero ya es hora de que compartamos algunas de las suyas. A decir verdad, no quiero seguir contando mi historia. Mi estrategia vital es vivir en el presente y centrarme en el futuro, pero si contando mi experiencia puedo tomar la luz que enfocan hacia mí y dirigirla a otras personas, eso es lo que voy a hacer. Soy una de esas personas que no tuvieron más opción que abandonar sus hogares. Y, juntas, nuestras historias abarcan el planeta al mismo tiempo que están enraizadas en nuestros corazones.

Zaynab

¿Por qué yo y no ella?

•

Yemen → Egipto → Minnesota

Conocí a una enérgica joven en Mineápolis durante una gira con el documental sobre mi vida: Él me llamó Malala. Lo proyectábamos para jóvenes y después conversaba con ellas y les pedía que me hablaran de su vida. Aunque aquel día hubo muchas que relataron su historia, una destacó especialmente: su nombre era Zaynab. Su determinación era palpable. Según contó, a pesar de haber estado dos años sin ir al colegio huyendo de la guerra, acababa de terminar el instituto con las máximas calificaciones. No obstante, la experiencia de su hermana, Sabreen, era diferente. No porque no sea tan inteligente y decidida. Zaynab consiguió un visado y se pudo trasladar a vivir a Estados Unidos. Sabreen no tuvo la misma suerte.

Malala

Todavía no sé por qué a mí me concedieron un visado para venir a Estados Unidos y a mi hermana pequeña no. Yo tenía dieciocho años cuando me trasladé a Chicago. Ella, dieciséis, y quedó atrás.

Fue doloroso despedirme de Sabreen en el aeropuerto de El Cairo. Ya habíamos perdido mucho. Habíamos salido juntas de Yemen dos años antes porque era demasiado peligroso permanecer allí. Vivimos dos años con unos parientes lejanos en Egipto mientras esperábamos que nos concedieran los visados. Y allí estaba yo, subiendo a un avión para ir a Estados Unidos sin ella. Eso fue en diciembre de 2014. No he vuelto a ver a mi hermana desde entonces. La añoranza que siento —de ella, de Yemen, de cómo eran las cosas antes de la violencia— es tan grande que a veces pienso que me va a consumir.

Y esa sensación hace que mi experiencia como refugiada en Estados Unidos sea más agria que dulce.

Pero yo sabía que era una de las afortunadas. Cuando llegué a este país, tenía un hogar al que ir, aunque para mí fuera desconocido hasta entonces. Porque aquí me reuní con mi madre, a la que no había visto en catorce años.

———————————

Mi primer día de colegio en Mineápolis era un viernes. Solo llevaba una semana en Estados Unidos y no hablaba inglés. Aquella mañana hacía tanto frío que me envolví la cara en el pañuelo de manera que solo asomaban los ojos y, a pesar de todo, me parecía que se iban a convertir en cubitos de hielo. Nunca en mi vida había tenido tanto frío. No sabía que fuera posible siquiera un tiempo como ese. El viento traspasaba el nuevo chaquetón de invierno que mi madre me había comprado el día anterior. Tenía tanto frío que pensé que la sangre se me helaría mientras caminaba la corta distancia que había entre el autobús y el colegio. Y recuerdo todo el alivio que sentí al entrar en el edificio: una cálida bienvenida.

Ver a tantas alumnas musulmanas me hizo incluso más feliz. Mi idea de Estados Unidos era que todo el mundo era blanco, pero vi a una chica somalí llevando un precioso hijab verde y a otra con uno rojo brillante, y a otra con uno azul. Era como si un vivo arcoíris fluyera por los pasillos.

Cuando fui a secretaría para coger mi horario me sentía a la vez entusiasmada e intimidada. El colegio era grande y tenía varios pabellones. Yo no sabía dónde estaban mis clases: ¿arriba?, ¿abajo?, ¿en este edificio o en otro?

Encontré a alguien que me pareció que podía ayudarme y, desesperada, le di mi horario. Me dijo que se llamaba Habib. Me reí porque eso significa «amado» en árabe y parecía un buen augurio.

Habib me acompañó a mi primera clase, donde mi profesora me presentó: «Esta es Zaynab. Acaba de llegar de Egipto». Yo no sabía qué decir, así que me quedé callada.

Una chica dijo en árabe: «¿Entonces hablas árabe?», y sentí que mi corazón, encogido desde el desayuno, de repente se relajó.

Se llamaba Asma. Había nacido en Somalia, de donde era mi madre, pero se había criado en Egipto. Y permaneció a mi lado todo el día. Fue mi guía y mi traductora, y se convirtió en mi mejor amiga.

Pronto conocí a un chico llamado Abduwalli. Era de Yemen, pero se había marchado antes de la revolución, lo que significaba que apenas había sufrido los bombardeos y las muertes. Le gustaba vivir en Estados Unidos y no tenía previsto volver a Yemen, lo que me asombró. Yo solo llevaba una semana en este extraño lugar y no podía imaginarme que me sentiría en él tan a gusto como Abduwalli. También estaba segura de que nunca dejaría de echar de menos Yemen.

Yo nací en Yemen. Mi madre es somalí y mi padre yemení. Él nos abandonó cuando nació mi hermana. Yo tenía dos años. No sé por qué se marchó ni adónde: todo lo que sé es que se volvió a casar. En Yemen un hombre puede tener cuatro mujeres. Así que tomó otra esposa y nos dejó para estar con ella.

Apenas tengo recuerdos de mi madre en Yemen. Se marchó a Estados Unidos cuando yo tenía unos cuatro años. Obtuvo el visado en un «sorteo de visas» y no pudo llevarnos con ella. Sin embargo, nunca la eché de menos, ni me pregunté por qué no nos llevó porque la madre de mi padre nos crio como si fuéramos hijas suyas. Vivíamos en Adén, una de las ciudades más grandes de Yemen. Éramos una familia grande. Muchos primos, tíos y tías. El amor que mi abuela nos dio a mí y a mi hermana bastó para que no echara de menos a mis padres.

Nuestra abuela nos leía y nos contaba historias de nuestros antepasados. Estaba muy orgullosa de nuestro origen árabe: teníamos un libro de poemas árabes que recitaba con los ojos brillantes. ¡Era pura alegría! Mi alma. Así que cuando se cayó en septiembre de 2001, yo me preocupé. Solo tenía catorce años, pero sabía que era grave. Estaba tan dolorida que mi hermana y yo teníamos que bañarla y vestirla, incluso darle la comida. Se quedó en la cama durante una semana, pero se negó a ir al hospital. Insistía en que estaba bien.

La creímos.

Así que me sorprendió cuando, unas semanas después, una tarde llegué a casa a última hora y vi a un grupo de personas en nuestra sala de estar, todas vestidas de negro. Algunas lloraban. Olí el café y vi que se habían servido dátiles dulces: esto es lo que tomamos cuando alguien muere.

—¿Qué ha ocurrido? —pregunté.

Mi tía me miró con el rostro cubierto de lágrimas. Se limitó a sacudir la cabeza.

Alguien dijo:

—¿No lo sabe?

—Saber ¿qué? —Yo estaba prácticamente gritando. Me daba cuenta de que había ocurrido algo terrible.

Tenía que saber el qué, pero, al mismo tiempo, no quería saberlo.

Entonces alguien dijo:

—Tu abuela ha fallecido esta mañana.

Era como si la habitación se hubiera quedado sin aire.

Mi abuela lo era todo para nosotras. Desempeñaba un papel importante en todos mis sueños para el futuro: el rostro que veía en mi boda, la que me ayudaba a criar a mis hijos. ¿Quién, si no, me enseñaría a darles el mismo amor que ella nos dio a mí y a mi hermana? En todos esos sueños mi abuela estaba conmigo, a mi lado, sonriendo. ¿Cómo era posible que se hubiera ido?

También nos conectaba a la familia de mi padre; sin ella, mi hermana y yo nos encontrábamos a la deriva. Entre tanto, en Yemen la situación era cada vez más inestable y mi familia extensa empezó a dispersarse y a desintegrarse. Varios primos se marcharon con sus padres a otras ciudades del país, mientras que otros huyeron a Europa. Mi hermana y yo nos quedamos con nuestra tía, la hermana de mi padre. Sus dos hijas eran mayores que nosotras y también habían decidido huir. Una se había marchado a Europa; la otra, a Siria.

Vivíamos con nuestra tía en Adén cuando a principios de 2011 la revolución comenzó oficialmente. Estaba influida por los levantamientos en Túnez que habían conducido a un cambio de régimen unas semanas antes. Los activistas de otros países árabes se inspiraron en estos acontecimientos y las protestas no tardaron en extenderse a Siria, Yemen, Egipto y Libia. Estas protestas de la Primavera Árabe reclamaban el cambio. En Yemen la gente quería que dimitiera nuestro presidente, que llevaba treinta años en el poder. Las protestas fueron pacíficas al comienzo, pero la policía empezó a decir a la gente que si pasaban por ciertas zonas, se arriesgaban a que les dispararan. Entonces, la indignación se desbordó. Circularon rumores de que habían matado a personas inocentes, incluso a niños que volvían a casa del colegio. Cuando dispararon a mi tío al volver a casa del trabajo, supimos que nadie estaba a salvo.

A principios de 2012 estaba en clase cuando oí a dos maestras hablar sobre una amenaza de bomba que acabábamos de recibir en nuestra escuela. Pensé: «Ya está. ¡Vamos a morir!». Por suerte, vino la policía y la desactivó. Por eso puedo contar mi historia.

Nadie sabía quién había llamado ni qué grupo había puesto la bomba. El mundo estaba boca abajo. Ese momento fue el comienzo de lo que en las noticias llamaban «bombardeos indiscriminados». Yo decía que eran bombas que caían al azar del cielo sin que nadie supiera cuándo ni dónde explotaría la siguiente.

Nadie sabía quién estaba bombardeando porque había tantas facciones en guerra: el gobierno, los revolucionarios y los grupos terroristas que querían apoderarse del país.

Una mañana de diciembre me despertaron las explosiones. Mi cama tembló con todo el edificio. Fui corriendo a la ventana y vi una nube de polvo y humo elevándose a lo lejos. Oí el estrépito de las piedras al caer y los gritos desesperados de la gente.

Para entonces, en mi casa todo el mundo ya estaba despierto y en shock.

—Podríamos haber sido nosotras —dijo mi tía.

Poco después, me volvió a despertar otra gran explosión. Esta vez, nuestra casa temblaba violentamente. Noté que un líquido caliente se deslizaba por las sábanas y miré a mi hermana, que estaba acostada a mi lado. Tenía los ojos completamente abiertos y me di cuenta de que estaba tan asustada que se había orinado en la cama. Yo tenía demasiado miedo para enfadarme con ella. Fui corriendo a la ventana y vi que el último piso de nuestros vecinos había desaparecido, se había desintegrado en un montón de escombros. Entonces oímos los gritos, tan cerca, tan angustiosos, que alguien debía de haber resultado herido o peor.

Mi tía aún estaba muy afectada por la muerte de mi abuela, y el estrés de aquellos «bombardeos indiscriminados» la desestabilizó más todavía. Algo se rompió dentro de ella aquel día. Empezó a hablar sola y a tener largas crisis de llanto. Se suponía que nos cuidaba a nosotras, pero éramos mi hermana y yo quienes la cuidábamos a ella. Parecía que había perdido toda conexión con la realidad de lo que estaba ocurriendo a nuestro alrededor.

Fue entonces cuando decidí ponerme en contacto con mi madre.

Hacía años que no tenía relación con mi madre. Sin embargo, sabía que me ayudaría. Cuando por fin hablé con ella, me dijo que fuéramos a Egipto, donde vivía la prima segunda de mi abuela. Muchos yemeníes estaban huyendo a Egipto, a Italia y a Grecia. Cualquier cosa era mejor que permanecer en Yemen. El único lugar que conocía, mi hogar, era demasiado peligroso.

Mi madre dijo que mandaría el dinero para que fuéramos a El Cairo. Si he de ser sincera, yo no quería ir. Tenía miedo de un futuro desconocido en un lugar extraño. Yemen se había convertido en algo aterrador, pero al menos lo conocía. Era mi hogar. Además, era el último sitio en el que había visto viva a mi abuela. De alguna manera, abandonar Yemen era como abandonarla a ella.

Cuando hacíamos las maletas para ir a Egipto, cogí todas las cosas que mi abuela había tocado, como sus ropas, que todavía guardaban su olor. Los libros de poesía árabe que había ganado en un concurso de lectura en el colegio, además de mi ropa, documentos y fotos. Por último, doblé el cobertor de su cama, donde había muerto. Fue lo último que había tocado. Siempre podría envolverme en él si necesitaba un abrazo, pensé mientras lo guardaba en la maleta.

Mi primer viaje en avión fue volar a El Cairo. Tenía miedo pero sabía que no había otra opción. Nos acogió un pariente lejano que vivía en Barty, en la zona de Alf Mascan. Yo odiaba vivir en aquel sitio. Estaba sucio y olía como si hubiera animales muertos pudriéndose en las calles. «Al menos, no estaremos aquí mucho tiempo», pensaba yo. Mi madre se había puesto en contacto con la embajada estadounidense, y mi hermana y yo fuimos juntas a solicitar los visados. Egipto era temporal.

Cuatro meses después, la embajada me llamó para someterme a un chequeo médico. Me hicieron muchas pruebas y análisis de sangre. La siguiente vez que me llamaron me dijeron que tenía TB.

—¿Qué es TB? —dije. No tenía ni idea.

Llevaba tosiendo dos meses, tenía fiebre de noche y me despertaba con sudores fríos. Había dejado de comer y perdido mucho peso, pero cuando fui al hospital para ver por qué me encontraba tan mal, me dijeron que no era nada importante. Nadie mencionó nunca la tuberculosis.

En la casa donde vivíamos había un ordenador, así que gugleé «tuberculosis» y me enteré de que puede ser una enfermedad mortal. Para entonces había sobrevivido a tantas cosas que morir de una enfermedad me parecía especialmente cruel. Expliqué a mi segundo tío, en cuya casa estábamos viviendo, lo que me habían dicho en la embajada. Imaginaba que me daría algún consejo. Por el contrario, gritó:

—¡Fuera de aquí!

—¿Por qué? —dije atónita—. ¿Qué he hecho?

—Vas a contagiarnos a todos —respondió a gritos.

Fue por toda la casa recogiendo mis cosas y tirándomelas.

—¡Haz la maleta y *márchate*! —gritó.

Me marché de la casa en shock. Ni siquiera dije a mi tía o a mi hermana lo que había ocurrido porque no quería que enfermaran. Les dije que la embajada me había pedido que me hiciera más pruebas y que tendría que quedarme en un hospital cercano. Mentí. Si hubieran sabido que me habían echado de casa, habrían querido venir conmigo, y no quería que corrieran ningún peligro por mi culpa.

Fue difícil encontrar un lugar donde alojarme. En Egipto, una chica de diecisiete años no puede alquilar una casa. La gente se pregunta ¿Por qué estás sola? ¿A quién vas a traer a casa cada noche? ¿Eres una buena chica?

Por fin encontré una habitación en una casa en el Aldoqqi, de El Cairo. Estaba más cerca de la embajada, lo que me venía bien porque tuve que ir allí diariamente durante seis meses para el tratamiento de pastillas e inyecciones. En la embajada tenían que asegurarse de que había terminado el tratamiento antes de concederme el visado. Aunque mejoraba de la tuberculosis, empecé a sentirme mal por todas las medicinas. Al menos, ya no podía contagiar a nadie, así que fui a ver a mi tía y a mi hermana, que para entonces se habían mudado a casa de otros parientes. Nunca dije a nadie lo enferma que estaba realmente.

A mediados de diciembre terminé el tratamiento y la embajada me informó de que por fin me habían concedido el visado para ir a Estados Unidos. Iba a cumplir diecinueve años el 27 de diciembre: el mejor regalo de cumpleaños que me han hecho nunca.

—¿Cuándo partimos? —pregunté.

—¿A quiénes se refiere? —respondió la funcionaria.

—A mi hermana y a mí.

—Solo he recibido la autorización para usted —me dijo perpleja.

La sensación de pánico que empezó a apoderarse de mí me resultaba conocida.

Deletreé el nombre de mi hermana —S-A-B-R-E-E-N— y le pedí que comprobara que no había algún error. Estaba segura de que la encontraría en sus papeles. Recibiría el visado. No tendríamos ningún problema.

La funcionaria consultó el ordenador y dijo:

—No veo nada en el sistema.

El corazón me dio un vuelco.

Entonces dijo:

—Un momento, aquí está.

Estaba tan aliviada... sabía que tenía que tratarse de un malentendido.

—Su solicitud ha sido rechazada.

Esas palabras fueron mucho peores que «tiene TB». No tan dolorosas como «tu abuela ha fallecido». Pero casi.

—¿Por qué? —fue lo único que pude decir.

La funcionaria se encogió de hombros y respondió:

—Todo lo que sé es que a usted se le ha concedido su solicitud.

Cuando salí de la embajada aquel día, tenía la cabeza llena de preguntas: ¿Qué había pasado? ¿Habíamos cometido algún error en el papeleo? ¿Tenía ella alguna enfermedad? ¿Le habría contagiado la tuberculosis? Y mientras consideraba esas posibilidades, pensaba: «Podemos solucionarlo. Le van a conceder el visado. Esto no es más que otro obstáculo».

Primero llamé a mi madre para comunicarle la desconcertante noticia. Yo ni siquiera estaba contenta por haber conseguido los papeles: era imposible después de lo de mi hermana. Mi madre me aseguró que debía de tratarse de un error.

—Lo solucionaremos —dijo.

Fue doloroso decírselo a Sabreen. Ella quería ir a Estados Unidos incluso más que yo. Cuando era pequeña le encantaba el programa de televisión *Hannah Montana*, e incluso antes de que comenzaran los problemas en Yemen decía:

—Un día voy a ir a Estados Unidos. ¡Allí es donde vive Hannah!

Mostró una calma asombrosa. No hubo lágrimas, ni siquiera enfado. Por el contrario, dijo:

—¡No pasa nada! Me quedaré con los primos y solicitaré otro visado. Iré en cuanto pueda.

Abracé a mi hermana y noté cómo temblaba. Estaba luchando por evitar lo mismo que yo. Si las dos nos poníamos a llorar, nos ahogaríamos en lágrimas.

———————

Una vecina nos llevó a mi hermana y a mí al aeropuerto en diciembre de 2014. Cuando facturé el equipaje, me dijeron que no podía llevarme dos de las maletas. Tenía cuatro: dos grandes y dos pequeñas. Contenían toda mi vida, pero excedían el límite de peso. Me dijeron que tendría que pagar doscientos dólares para llevarlas conmigo. Yo tenía veinte dólares, que esperaba que fueran suficientes para comprar comida en las cuarenta y ocho horas siguientes que tardaría en llegar de El Cairo a Mineápolis.

El vuelo estaba a punto de salir y tenía que decidirme: dejé la maleta más pesada, que contenía todos los libros que guardaba desde que era niña. Los había envuelto con la manta de mi abuela. Esa maleta también contenía las únicas fotos que tenía de cuando Sabreen y yo éramos pequeñas. Se la di a Sabreen y le pedí que me la cuidara.

Entonces llegó el momento que temía. Tuve que despedirme de mi hermana pequeña. Esta vez tampoco lloró. Esta vez también sentí ese temblor en lo más profundo de su ser, igual que dentro de mí. Cuando nos abrazamos, nos susurramos al oído:

—Esto solo es temporal. Nos veremos pronto.

—En uno o dos meses como mucho —dije, mientras me separaba de ella.

—Sí —respondió. Yo sentía que los ojos se me estaban llenando de lágrimas y pestañeé con fuerza.

—Esperaré ese momento.

Subirme a aquel avión debería haber significado libertad. Esperanza. Un sueño hecho realidad. Sin embargo, el corazón me pesaba en el pecho. Me abroché en mi asiento y apreté la frente contra la ventanilla. No quería que nadie me viera llorar.

———————

Cuando llegué a Estados Unidos, Sabreen y yo seguimos conectadas por FaceTime, aunque literalmente contábamos los días para que viniera conmigo. Le hablaba de mi nuevo colegio y de mis amigas, de la comida y del frío que hacía en Minnesota. Ella sonreía con cada detalle y charlábamos sobre los sitios a los que la llevaría cuando llegara, como el Mall of America. ¡Yo nunca había estado en un sitio así, con tantas tiendas y tanta gente distinta!

No obstante, cada vez que hablábamos su entusiasmo disminuía. No teníamos noticias de la embajada estadounidense y empezábamos a preocuparnos.

Al cabo de tres meses, Sabreen me dijo que estaba cansada de esperar. Había oído que algunos refugiados pagaban para que les llevaran en barco a Italia. Decía que estaba dispuesta a hacerlo con un grupo de amigas. Decía que, desde Europa, podría conseguir más fácilmente el visado para ir a Estados Unidos.

Yo también había oído hablar de esas embarcaciones… y de la gente que moría intentando cruzar el mar Mediterráneo. Pero mi hermana estaba decidida. Me dijo:

—Te lo prometo. Será seguro. Es un barco grande. ¡Incluso tiene habitaciones y un cuarto de baño!

Me dijo que costaba dos mil dólares por pasajero, así que pensé ¡qué barbaridad! ¡Tiene que ser seguro! Era mucho dinero.

Mi madre se puso a ahorrar: era auxiliar de enfermería y empezó a hacer turnos de noche para reunir el dinero del viaje. Al mes siguiente se lo envió a Sabreen.

Y entonces esperamos sus noticias.

Sabreen

No había vuelta atrás

•

Yemen → Egipto → Italia

Esperé que despegara el avión de Zaynab: tenía que verlo desaparecer tras las nubes para creer que era cierto. Mi hermana mayor se había ido. Todo lo que tenía ahora era su enorme y pesada maleta. Me tragué las lágrimas mientras arrastraba aquella maleta por el aeropuerto y la metía en el mismo coche que me había llevado allí. Mi hermana estaba en el aire, volando a una nueva vida, mientras que yo regresaba a la antigua. Pero distinta. A partir de entonces, todo me parecía vacío: la ciudad, la casa, mi corazón.

La primera semana fue muy dura. La gente no me trataba como antes. Cuando estaba con Zaynab me sentía apoyada. Ella siempre había estado ahí para protegerme. Ahora estaba sola.

Pronto conocí a un grupo de chicas yemeníes a través de mi prima Fahima. Todas soñábamos con marcharnos de Egipto. Una de ellas había oído hablar de una embarcación que llevaba gente a Europa. Decidimos investigar.

Así es como me enteré de que necesitaba 2.200 dólares: cien dólares serían para el billete para llegar a la ciudad costera de Alejandría. Una vez allí, necesitaría otros cien dólares para mantenerme hasta que fuera seguro embarcar. Los dos mil dólares restantes eran para el viaje a Italia.

Cuando le dije a Zaynab que quería hacer esto, se quedó en silencio. «¿No es peligroso?», me preguntó.

Yo estaba muy decepcionada... y un poco enfadada. ¡Para ella era muy fácil decir eso! Era mejor que esperar en Egipto un visado que podría no llegar nunca. Estaba cansada de esperar. Habían pasado dos años desde que lo solicité. Así que pedí a mi hermana que convenciera a mi madre de que era una buena idea. Me prometió que lo haría.

Fue un gran alivio cuando el dinero llegó. El viaje en autobús desde El Cairo hasta Alejandría fue larguísimo. Yo iba con mi prima Fahima y dos amigas. Acordamos decir que éramos hermanas para que no nos separaran. Durante el viaje tuve que contener los nervios. Después de meses haciendo planes y esperando el dinero para llevarlos a cabo, por fin estábamos en el camino. Mis amigas y yo hablábamos sobre el transatlántico en el que estábamos a punto de embarcar: nos imaginábamos que nos darían tres comidas diarias y tendríamos vistas al mar en el viaje a Italia. La persona a la que pagamos nos lo prometió.

Cuando llegamos a Alejandría, pagamos los cien dólares del alojamiento; estábamos deseando poder dormir una noche

72

entera. Nos habíamos imaginado una habitación de hotel, así que nos quedamos de piedra cuando llegamos a un almacén vacío con suelo de cemento, sin muebles ni mantas siquiera. Seguro que se trataba de un error, decíamos todas, mientras nos acurrucábamos juntas. El resto del viaje sería mejor.

Después de una noche fría en la que apenas pudimos dormir, nos dijeron que subiéramos a otro autobús. Las ventanillas estaban cubiertas de plástico negro, por lo que, a pesar de que el sol brillaba, daba la sensación de que viajábamos de noche. Aunque no podíamos mirar por la ventanilla, sabía que íbamos por carreteras secundarias porque el camino estaba lleno de baches y curvas. Me mareé un poco, sobre todo porque el autobús estaba tan lleno de gente que apenas podíamos respirar. Entonces oí a la gente hablar sobre lo peligrosa que era la travesía. «Si nos cogen, acabaremos en la cárcel», decía alguien.

Fue entonces cuando me asusté de verdad. Sabía que lo que estábamos haciendo era arriesgado, pero nunca imaginé que podríamos ir a la cárcel. ¿Por qué? ¿Solo por querer una vida mejor? ¿Por querer reunirme con mi hermana? Parecía que era demasiado cruel, pero cuando oí aquellas historias en la oscuridad, empecé a preguntarme si no habría cometido un error. Si nos apresaban e iba a la cárcel, no volvería a ver a mi hermana.

Viajamos en aquel autobús desde las seis de la mañana hasta las seis de la tarde, pero si alguien pedía al conductor que parara, le ignoraba. Al cabo de un tiempo, la gente estaba desesperada. Teníamos que ir al lavabo. Queríamos agua. En un momento determinado, los pasajeros empezamos a gritar: «¡Pare el autobús!».

Funcionó: el conductor pisó el freno a fondo y el autobús se detuvo de repente. ¡Estaba tan aliviada! Necesitaba orinar y respirar aire fresco desesperadamente. En vez de abrir las puertas para que saliéramos, el conductor se levantó de su asiento e irrumpió en el pasillo pegado puñetazos a la gente y gritando:

—¡A callar! ¡Si hacéis ruido, vais a conseguir que me detengan!

Esto me dio tanto miedo que se me olvidaron las ganas de orinar. Cuando volvió a su asiento, gritó:

—¡Esto no es un viaje de placer! ¡Sois refugiados! ¡A callar y ni una palabra más!

Cerré los ojos para tratar de contener las lágrimas. Todos mis sueños sobre lo que podría ser este viaje se estaban haciendo añicos a mi alrededor. «Puede que seamos refugiados, pero nos está tratando como si fuéramos animales salvajes», pensé.

Todos debieron de pensar algo parecido, porque el autobús permaneció en silencio el resto del viaje.

Pasó una hora o más, y yo me moría de sed. Solo quería humedecerme la boca, pero ya no quedaba agua. Iba sentada con mi amiga, que fue a coger la botella de agua de nuestra otra amiga, que iba sentada cerca del conductor. En cuanto se levantó, el autobús se detuvo.

El conductor abrió la puerta, agarró a mi amiga y literalmente la arrojó fuera del autobús vociferando:

—¡Corre! —Y se puso a gritar a todo el mundo—, ¡Vamos! ¡Corred!

Yo salté y me abrí paso hasta la puerta. Sujetaba mi abrigo, que el conductor cogió y arrojó afuera.

—¡Corre, vamos! ¡Corre! —se desgañitaba.

El corazón me latía con tanta celeridad que mis pies no podían ir a su ritmo. Agarré la chaqueta y empecé a correr todo lo rápido que podía siguiendo a los que iban delante de mí. Y entonces vi la infinita extensión azul. Estábamos en el mar Mediterráneo. Lo habíamos conseguido.

Mientras corría hacia la playa, busqué la embarcación que había imaginado: un barco grande y bonito con camarotes y cuartos de baño. En vez de eso, lo que vi fueron tres pequeños botes de pesca alineados en la orilla. Estaba confusa. Los pulmones me quemaban a causa de la carrera. Empecé a resollar, no conseguía tomar aire. Cuando ahora recuerdo aquello, me parece que lo que sentía era pánico.

¿Dónde estaba el barco? Cómo íbamos a subir en aquellos botes de pesca que tenía delante de mí. Eran tan pequeños... y las olas tan grandes...

Quería volver a casa de mi tía. No quería subir a uno de esos botes de pesca para cruzar el Mediterráneo. Era una locura. Y mientras pensaba todo esto, me sentía paralizada: literalmente no podía mover los pies.

En ese momento se acercó un hombre y me preguntó:

—¿Por qué lloras?

—No puedo seguir. Tengo miedo.

—No hay vuelta atrás.

Pero no podía moverme. La gente ya estaba subiendo a los botes y aquel hombre me alzó y me colocó en uno. Salí de mi estupor y grité:

—¡Mis hermanas! ¡No me puedo marchar sin ellas!

Él las encontró entre la gente. Cuando subieron al bote conmigo, me sentí mucho mejor. Al menos, estábamos juntas.

Justo entonces, llegó el conductor del autobús esgrimiendo un cuchillo. Dijo:

—Quien tenga dinero egipcio, o joyas, que me las dé.

Todo el mundo estaba confuso. Empezó recoger nuestro dinero y entonces vio a una mujer que llevaba un anillo y dijo:

—Dame ese anillo.

Ella hizo lo que le ordenaba.

Mis amigas y yo teníamos tanto miedo que empezamos a recitar el Sagrado Corán, pidiendo ayuda a Alá. Esto puso nervioso al hombre que se estaba llevando nuestro dinero.

—Hago esto para alimentar a mi familia. No cojo dinero del precio del viaje, eso es para el autobús grande, y yo me llevo muy poco. Por eso os pido vuestro dinero, es la única forma que tengo de sobrevivir.

Alguien mencionó el cuchillo y dijo:

—No lo tengo para hacer daño a nadie. Es por si viene la policía mientras estamos en el mar. Prefiero matarme a que me atrapen.

Yo supe entonces que realmente no había vuelta atrás. Mis amigas y yo ya estábamos en el bote con otros refugiados de Siria, Irak, Somalia y Egipto. Llegaban más y más en otros autobuses. Una madre se acercó a nuestro bote sujetando a su hijo de cinco años. Tenía que caminar sobre rocas húmedas y resbaladizas para subir a la embarcación y perdió el equilibrio. El niño se cayó al agua fría. No lloró, pero cuando los dos subieron al bote en el que estábamos nosotras, vi que estaba temblando.

Yo había cogido una chaqueta de reserva para el viaje, la saqué de la bolsa y se la di.

El mar estaba encrespado y las olas chocaban contra nuestra embarcación. Yo permanecía acurrucada con mis amigas y soñaba con un gran barco con camarotes y cuartos de baño, y tres comidas diarias.

El hombre que me había llevado al bote era nuestro capitán. Nos aseguró que trasbordaríamos a una embarcación más grande, pero no fue así. Estábamos en medio del mar cuando se aproximó a nosotros otro bote pequeño. El capitán nos dijo que subiéramos allí.

—¿Dónde está el barco con literas que se nos prometió?

—Cuando estemos en la embarcación grande, todo el mundo tendrá su camarote y un cuarto de baño compartido. Habrá comida —dijo.

Pero cuando, el sexto día, por fin encontramos el tercer bote, nada de eso era cierto. Aunque era más grande que nuestros botes de pesca, solo tenía espacio para cien personas, mientras que nosotros éramos cuatrocientos. Tuvimos que apretarnos.

Para entonces nos habíamos comido todo lo que llevábamos con nosotras y dormíamos sentadas porque no había sitio para estirarse. Cada mañana me despertaba después de unas cabezadas, veía el cielo y pensaba: «¿Estoy en el paraíso o sigo viva?».

Cuando vi el tercer bote, pensé que no sobreviviría. Estaba demasiado agotada.

Al menos allí nos dieron alubias, atún y pan. Pero las alubias no estaban cocinadas y el pan estaba mohoso. No había cuarto de baño, únicamente teníamos un cajón para hacer nuestras necesidades. Se llenaba en seguida y cada vez que el bote oscilaba todo se desparramaba por el suelo, donde estábamos sentados.

El capitán nos dijo que nos estábamos acercando a la costa. Pero a tres horas de llegar a tierra firme la embarcación se quedó sin combustible. Alguien sugirió que fuéramos a nado, pero nadie tenía chalecos salvavidas y yo no siquiera sé nadar. Nunca había tenido tanto miedo en mi vida.

Después de varias horas de esperar un milagro, alguien vio un barco a lo lejos La gente empezó a gritar y a llorar.

Era un barco grande, como el de mis sueños.

El guardacostas italiano buscaba botes como el nuestro porque había muchos refugiados huyendo. Eso fue lo que nos dijeron los marineros que nos invitaron a subir a bordo. Nunca he estado más agradecida. En aquellos momentos llevábamos más de un día sin comida ni agua. El barco habló con la Cruz Roja, que envió otra embarcación para recogernos. Entre tanto, los italianos nos dieron agua, comida y mantas. Nos permitieron usar su cuarto de baño, que estaba tan limpio que me eché a llorar. Seguí sin poder contener las lágrimas hasta que llegamos a Italia, donde, según nos había asegurado la tripulación, nos llevarían a un lugar seguro.

Al cabo de dos horas vi tierra por primera vez en nueve días.

No podía dejar de sollozar. No creía que volvería a ver tierra otra vez. Sin embargo, ahí estaba, en la distancia.

Zaynab

Grandes sueños

●

Minnesota

Durante un mes no supimos nada de mi hermana. Mi madre estaba desesperada.

—¿Y si le ha ocurrido algo?

—Todo va a salir bien —respondía, pero también estaba preocupada. Veía todos aquellos reportajes sobre refugiados que se habían ahogado tratando de llegar a Grecia o a Italia. Pero no podía permitirme pensarlo...

Por fin, una noche me conecté a Facebook y vi un mensaje de Sabreen.

«He conseguido llegar a Italia. Estoy a salvo», decía.

Dije a mi madre que viniera a verlo. ¡Sabreen estaba viva! Lo había conseguido.

Cuando al día siguiente respondió, me dijo que apenas había conexión a Internet donde estaba y que me llamaría en cuanto pudiera.

Pasaron varios meses, en los que no dejaba de mirar Facebook con la esperanza de recibir un mensaje de Sabreen. Cada día que pasaba sin saber nada de ella me consumía la preocupación. Leí en Internet muchas historias terribles sobre jóvenes refugiadas que habían sido deportadas. ¿Adónde iría ella si le ocurría algo así? ¿A Yemen? Allí ya no tenía nada.

También leí muchas cosas sobre la trata de personas: ese era mi mayor temor. Una historia era sobre una refugiada siria que había ido a Europa, donde la habían llevado a un burdel y obligado a prostituirse. Cuando conté esto a mi madre, palideció. Casi diariamente había llamado por teléfono a la embajada estadounidense en Italia intentando por todos los medios que Sabreen viniera a Minnesota. Sin ningún resultado. Nos sentíamos tan impotentes...

Todo esto estaba ocurriendo en un momento terrible. Durante la campaña electoral estadounidense de 2016 había aflorado una profunda animadversión hacia los musulmanes en Estados Unidos. Yo misma lo había experimentado en una ocasión en que fui sola de compras al Mall of America. Subía en las escaleras mecánicas cuando vi a un hombre blanco al final de las escaleras. Como siempre, yo llevaba mi hijab, y el hombre se me quedó mirando y empezó a gritar: «¡Yihad! ¡Yihad!». A mí me entró pánico, pensando que aquel hombre podría tener una bomba, así que bajé corriendo por la escalera de subida. Él quería que la gente pensara que solo porque soy musulmana era peligrosa. Y yo tenía pánico de lo que él pudiera hacerme.

El corazón me palpitaba en el pecho mientras buscaba algún sitio donde ocultarme. Por fin encontré los lavabos y me encerré en una cabina. Tras la puerta cerrada me derrumbé y me puse a llorar.

A día de hoy sigo sin poder ir a comprar sola allí.

Si en Minnesota yo había pasado tanto miedo, ¿qué le habría ocurrido a mi hermana?

———————————

Cuando unos meses después por fin recibimos un mensaje de Sabreen, nos decía que la habían enviado a un campo de refugiados en Holanda. Allí tenían wifi, lo que significaba que podíamos hablar. ¡Era tan magnífico oír su voz! ¡Y realmente estaba bien! Lo mismo que sus amigas, que se encontraban en Holanda con ella. Me las presentó a todas. Sonaba feliz, mucho más feliz que en Egipto. Y esperanzada.

Por aquel entonces no sabía lo angustioso que había sido su viaje. No hablábamos de detalles concretos. Por el contrario, mirábamos al futuro y pensábamos cómo podríamos reunirnos. Nos manteníamos en contacto a través de Facebook. Nos enviábamos fotos. Pero entonces un día me llamó para decirme que había conocido a un chico de Yemen en el campo en Holanda.

—Es muy agradable —dijo—. Me gusta.

Yo pensaba: de acuerdo, mientras ella sea feliz, yo también lo soy.

Me dejó atónita cuando un par de meses después me llamó para decirme:

—Quiero casarme con él.

Se me cayó el alma a los pies.

—¡Pero si ni siquiera tienes dieciocho años! ¡Y todavía no has acabado el colegio!

—Él me va a dejar ir al colegio. ¡No te preocupes! —respondió.

Me prometió que terminaría sus estudios. Y después me dijo:

—Solo quiero estar con alguien.

Eso me destrozó.

Sabreen debería haber estado conmigo y con nuestra madre. Debería ir al colegio. Debería aprender cosas. No estar sola en un país extraño sin su familia. Pero ¿quién era yo para juzgarla? Mi camino era otro.

———————

Aquel septiembre empecé el último curso en el instituto.

Estaba aprendiendo tanto y tan rápidamente que me permitieron saltarme los dos cursos anteriores. Aquel año, en mayo, al final del curso noveno, me habían presentado ante el consejo escolar. Aquello era totalmente nuevo para mí y me encantaba la idea. Nos reunimos en un aula y hablamos sobre los problemas que nos preocupaban.

Una chica dijo:

—Nuestra oferta en la cafetería debería ser más amplia. Tenemos a muchas personas de culturas diferentes. Deberíamos ser más sensibles ante ese hecho.

Otra persona dijo:

—Creo que es importante que tengamos más profesores de color para que podamos reconocernos en nuestros profesores.

A mí me animaron todas aquellas peticiones y decidí plantear la mía. Quería saber por qué no había deportes o actividades para los estudiantes: no teníamos equipo de baloncesto ni de fútbol ni nada.

Yo era muy aficionada a los deportes y en Yemen, antes de la revolución, me había vestido como un niño para poder jugar al fútbol. Solo se les permitía jugar a los niños, así que yo llevaba pantalones y camisetas muy amplias y escondía mi pelo en un gorro. Para mí el fútbol era la felicidad. Por eso, cuando llegué a Estados Unidos, me decepcionó que no hubiera fútbol en el instituto. Lo mencioné en mayo, y en septiembre, cuando me trasladé a otro edificio para el último curso, fue una alegría saber que tenía gimnasio. Uno de mis asesores académicos me dijo:

—Tú hablaste del fútbol, así que ¡empieza a formar el equipo femenino de fútbol!

Recluté a todas las chicas que pude. Muchas decían:

—¡Pero si nunca hemos jugado!

Algunas jóvenes de África ni siquiera habían dado alguna vez una patada a un balón. Yo les decía:

—¡No importa! Yo os enseñaré.

Y empecé a entrenarlas. Los uniformes fueron el primer problema. Muchas chicas eran musulmanas y debían ir cubiertas. Así que jugaron con sus vestidos hasta que pudimos conseguir mallas para llevar debajo de los pantalones cortos. Todas llevábamos el pelo cubierto y nos convertimos en el único equipo de refugiadas de toda Minnesota.

En nuestro primer partido el árbitro dijo:

—¿Quién es la capitana?

No teníamos, pero las chicas de mi equipo dijeron:

—Zaynab, ¡deberías ser tú!

Me convertí en capitana y perdimos todos los partidos. En plan 0-12. Eran unas derrotas sin paliativos.

¡Pero no nos importaba! ¡Jugar nos hacía tan felices! Y aprender todo el reglamento. Nuestro último partido lo perdimos por 0-5. ¡Y estábamos tan orgullosas de nosotras mismas! ¡Nos esforzamos tanto! Yo era la portera porque la que teníamos acabó por dejarlo. Todas tenían miedo de esa posición, de recibir una patada en la cara o de sufrir alguna herida grave. Aquel partido yo paré unos cuarenta balones.

Un entrenador de la Copa Mundial de Fútbol Calle me vio jugar y me dijo:

—Deberías estar en mi equipo.

Entré en el equipo y me esforcé tanto que me dieron una distinción y me invitaron a jugar con el equipo en el campeonato en Europa.

Para entonces mi hermana se había mudado a Bélgica. Si iba a Europa, existía la posibilidad de que al fin pudiera verla.

Ya tenía el visado y todos los papeles en regla para el viaje, pero el presidente Trump anunció la prohibición de viajar a los musulmanes. Aún no tenía la tarjeta verde. Dije:

—No puedo ir.

En julio me invitaron a ver la película *Él me llamó Malala*. Fui con una docena de amigas del colegio, todas refugiadas. Después de ver la película fuimos a comer y nos quedamos atónitas cuando Malala entró y se unió a nosotras. Era como si hubiéramos conocido a una estrella de cine. Pero ella se sentó y empezó a hacernos preguntas y yo pensé: «Es igual que nosotras». Aunque nuestras historias sean diferentes, sentí una gran solidaridad con ella.

Durante aquella comida, Malala fue recorriendo toda la mesa y preguntando:

—¿Qué te gustaría cambiar?

Para entonces muchos de mis sueños se habían hecho realidad: había sobrevivido a los peligros en mi país. Me había mudado a vivir en Estados Unidos. Había terminado el instituto y planeaba ir a la universidad. Quería que mi hermana hiciera lo mismo, a ser posible conmigo, en Estados Unidos. Y en ese momento me di cuenta de cuánto había cambiado. Lo mismo que había cambiado Sabreen... de formas que no sabía si algún día podría entender.

Sabreen acabó casándose con el hombre que había conocido en el campo de refugiados. Se mudaron a Bélgica y viven en un apartamento. Su marido trabaja en una tienda y mi hermana estudia holandés. Dice que es feliz y quiero creerla. Esperan su primer hijo para noviembre de 2018.

Sabreen sigue sin tener papeles, lo que significa que su hijo también será un refugiado. ¿Qué reserva el futuro a Sabreen y su familia? ¿Y a mí? ¿A mi país? ¿A mi gente?

Yo quería una vida mejor con toda nuestra familia en Yemen. Quería que mi abuela volviera a estar con nosotras. Sé que esos sueños son imposibles, pero hay otros que sí puedo hacer realidad si creo en mí misma y en mis objetivos. Quiero acabar mi formación para regresar a ese maravilloso hogar y traer justicia conmigo. Quiero reconstruirlo. Estoy convencida de que todas las historias pueden tener un final feliz y yo crearé ese final feliz para esta parte de mi historia.

Tengo grandes sueños. Quiero que mi hermana y todas las personas que han pasado por estos tiempos tan duros también tengan grandes sueños.

Muzoon

Vi esperanza

•

Siria → Jordania

En el campo de Zaatari uno de nuestros guías de UNICEF me habló de una muchacha que quería que conociera. Su nombre era Muzoon, y nuestro guía dijo que estaba volcándose para que los refugiados pudieran estudiar en el campo. Yo tenía muchas preguntas que hacerle.

Conocí a Muzoon en su tienda, que compartía con sus padres, dos hermanos pequeños, una hermana pequeña y otros dos miembros de la familia. Había poco sitio, pero todos estaban muy contentos de conocernos a mi padre y a mí, y aliviados al darse cuenta de que la gente se preocupaba de su suerte.

Muzoon hablaba muy poco inglés, pero no importaba. El brillo de sus ojos y la esperanza en su rostro salvaban todas las barreras del lenguaje. Sentí que era un alma gemela.

Después de aquella primera reunión, pensé mucho en Muzoon. Le perdimos la pista durante un tiempo y, cuando volví a verla, su familia se había trasladado a un campo cerca de Azraq. Cuando hablé con ella esta vez, nos encontrábamos en una habitación con otras chicas y una de las más jóvenes me dijo:

—Malala, estás haciendo un gran trabajo, pero la que me ha cambiado la vida es Muzoon. —Yo sonreí y la animé a continuar—. Me iban a casar, pero ella me convenció de que estudiara. Me ha ayudado a perseguir mis sueños.

La gente había empezado a llamar a Muzoon «la Malala de Siria», pero yo sabía que era la Muzoon de Siria.

Malala

Un cooperante me dijo que había una joven que quería verme. Una muchacha que luchaba por el derecho a la educación. Una muchacha que había sufrido en su propia carne por esta lucha hasta el punto de que casi pierde la vida.

Cuando descubrí que la chica que quería conocerme era Malala, me emocionó mucho.

En Siria había oído hablar de ella. Sabía que era una fuerza real y que estaba utilizando su experiencia para cambiar la situación de las chicas en todo el mundo.

Sabía que tenía dos hermanos y que su padre era maestro. Teníamos mucho en común y nuestras aspiraciones eran similares. A mí me encantaba ir al colegio y soñar sobre mi futuro.

Pero cuando comenzó la guerra en 2011, todo cambió. No había seguridad, ni paz. Los combates eran tan fuertes… que cada día había bombardeos, disparos en la calle. Las escuelas tuvieron que cerrar. Vivimos sitiados durante dos años hasta que mi padre acabó tomando la difícil decisión de abandonar nuestro querido país. Me dijo:

—Hasta en un campo de refugiados la vida tiene que ser mejor que esto.

Yo no sabía nada sobre el campo, pero no teníamos más opciones. No quería marcharme de mi país. Era el único hogar que he conocido, pero a los trece años ya sabía que si no me marchaba entonces, podía ser mi final.

Junto con muchas otras personas que huían para salvar la vida, fuimos hasta la frontera y caminamos toda la noche. Cruzamos a Jordania, sin saber lo que nos aguardaba. Cuando por fin llegamos al campo de Zaatari, estábamos muy agradecidos por tener un refugio: una tienda de tres metros y medio de lado nos sirvió de hogar a mí, a mis padres, a mis hermanos y a mis parientes. Éramos ocho personas viviendo en un espacio tan pequeño, pero al menos todos éramos de la familia. Eso no era así siempre en el campo, donde con frecuencia tenían que compartir la tienda extraños.

Aparte de unas colchonetas para dormir, no teníamos muebles ni electricidad. Había que caminar un gran trecho para recoger el agua que utilizábamos para beber, cocinar y lavarnos. Pero todas esas dificultades no me preocupaban tanto como la escuela: se suponía que ese año yo estaría en noveno curso. Si no seguía estudiando, podría perder la posibilidad de ir a la universidad. Podría arruinar mi futuro.

Así que fue un alivio cuando descubrí que el campo tenía una escuela. Y estaba entusiasmada por comenzar las clases y conocer a otras alumnas. Las clases significaban que tendría un lugar al que ir cada día y que incluso en este sitio, donde todo es incierto, podría dedicarme a perseguir mis sueños de aprender y viajar por el mundo. El primer día me asombró ver a tan pocas alumnas en el aula. No tenía sentido.

Un día fui al centro de ocio, un lugar en el que había juegos y una pequeña biblioteca donde podíamos coger libros en préstamo. Allí vi a un grupo de niñas de mi edad. Fui adonde estaban y pregunté:

—¿Por qué no estáis en la escuela?

¡Se rieron! Una dijo:

—¿Para qué vamos a ir?

Y comenzaron a decir que, según sus padres, lo mejor que podía hacer una joven era casarse. Que el matrimonio era el mejor futuro para sus hijas.

Yo sabía que esto no era cierto. Sabía que el matrimonio temprano atrapa a las jóvenes en un ciclo de pobreza y privación.

Sabía que tenía que hacer algo al respecto.

Empecé a ir de tienda en tienda, hablando a la gente.

Otro gran obstáculo era que mucha gente pensaba que estaría poco tiempo en el campo. Estaba convencida de que esto era temporal, por lo que esperaría hasta su regreso a Siria para continuar su formación. Yo comprendía ese razonamiento: por muy acostumbrada que estuviera a esta nueva vida, cada mañana sentía incertidumbre al despertarme. Pero sabía que lo único que podía hacer era seguir avanzando. No podía quedarme quieta como si no estuviera ocurriendo nada, y tampoco estaba dispuesta a sentarme y ver tranquilamente cómo los demás adoptaban esa actitud.

Así que una y otra vez decía:

—Nadie sabe cuándo vamos a regresar a Siria. Podríamos pasar años en el campo.

Lo cierto es que muchas de aquellas chicas siguen viviendo allí, atrapadas en un limbo. Y como la guerra ha empeorado, han perdido la esperanza.

Me impresionó el caso de una chica que conocí entonces. Me dijo que su familia quería casarla con un hombre que tenía más de cuarenta años, la edad de su padre. Ella tenía diecisiete. Le pregunté qué pensaba de ese plan. Se encogió de hombros y dijo:

—Y si no, ¿qué otro futuro tengo?

En su pregunta vi que no todo estaba perdido y le dije:

—Si tu familia te quiere, no permitirá que te cases con este hombre. Dile a tu padre que si de verdad quiere protegerte, te deje ir al colegio.

Cuando la volví a ver unos días después, vino corriendo hacia mí y me dijo:

—¡Voy al colegio, ya no me caso!

Yo estaba tan contenta que la cogí de las manos y dije:

—Tú y yo vamos a servir de ejemplo. Si vamos al colegio, otras vendrán después.

Ella me apretó las manos y sonrió. Y en ese instante vi esperanza.

Najla

Miles de personas como nosotras

•

Sinyar, Irak → Dohuk, Irak

La comunidad yazidí es pequeña, la forman menos de un millón de personas, y en su mayor parte están concentradas en el norte de Irak y en algunas regiones de Turquía y Siria, pero su clamor por sobrevivir ya se ha escuchado en todo el mundo. Yo había oído hablar de las jóvenes yazidíes en las noticias y conocí a varias en Dohuk, Irak, que habían sido liberadas por el ISIS. La mayoría de ellas estaban tan traumatizadas por sus experiencias que no podían hablar. Quién sabe si alguna vez se recuperarán de los horrores que soportaron. Pero Najla estaba llena de esperanza.

Najla había encontrado una salida, que, por lo que supe después, no era algo insólito en ella. Cuando cumplió los catorce años, su familia le dijo que tenía que dejar de ir a la escuela porque debía convertirse en ama de casa, lo mismo que tantas otras jóvenes yazidíes. Ella se negó y escapó a las montañas de Sinyar durante cinco días para demostrar que iba en serio. Cuando regresó a casa, su padre estaba tan enfadado que no le habló en un año. Pero le permitió volver al colegio.

Esta es una de las primeras historias que Najla me contó cuando la conocí, así que supe que no solo era obstinada en el mejor sentido *de la palabra, sino también resistente. Llamaba la atención con su pelo aclarado y teñido de turquesa en las puntas. Aquel día me preguntó sobre la esperanza y qué haces cuando la pierdes. Najla ha visto y soportado mucho en su joven vida, pero sé que siempre recuperará la esperanza. Por eso fue una de las dos jóvenes que conocí durante mi Girl Power Trip en 2017 a las que invité a participar conmigo en la Asamblea General de las Naciones Unidas ese año. (Marie Claire, a quien conocerás más adelante, fue la otra). «No quiero que ninguna otra chica pase por lo mismo que yo he pasado —dijo Najla ante una sala llena de líderes mundiales—. No todas pueden luchar con la misma fuerza que yo».*

Malala

Ya de niña, antes de que llegaran los terroristas, siempre me pareció que me estaba perdiendo algo.

Nací en el seno de una familia muy numerosa en Sinyar, Irak, que está cerca de Mosul, una ciudad grande, diversa, en el norte de Irak. Tengo ocho hermanos, cinco de los cuales son más jóvenes que yo, y cuatro hermanas, todas más mayores. Somos yazidíes, una pequeña minoría religiosa que no es ni musulmana ni cristiana.

Cuando tenía ocho años vi que muchas de mis vecinas iban a la escuela, pero yo no. Pregunté a mis padres:

—¿Por qué yo no voy a la escuela como ellas?

No tenían interés en que las chicas nos formáramos, pero mi hermano mayor peleó por mí y convenció a mi padre de que nos dejara ir a la escuela a mí y a una de mis hermanas mayores.

El primer año fue como si los ojos se me hubieran abierto de repente. La escuela era mi puerta al mundo. Cuando terminé la primaria, mi padre no quería dejarme continuar con la secundaria. Dijo que ya era suficiente.

Pero para mí no era suficiente.

Él quería que fuera ama de casa, como otras jóvenes yazidíes de mi edad. No era solo mi padre, sino toda la comunidad yazidí. Decidieron esto juntos.

Yo tenía catorce años y sabía que era inteligente. Quería ir al colegio, así que me escapé. Fue todo lo que se me ocurrió. Me quedé cinco días en un monasterio en las montañas de Sinyar, pero sabía que no podía permanecer allí indefinidamente. Cuando volví a casa, mi padre estaba furioso y mi madre parecía enfadada, pero yo sabía que en su fuero interno estaba orgullosa de mí. Lo mismo que mis hermanas, que estaban muy contentas porque yo luchaba por algo que quería con toda mi alma.

No fue fácil vivir durante un año en casa con mi padre sin hablarme, pero pensé: «No importa. Tenemos tiempo». Al final, con ayuda de mi hermano mayor, Ismat, mi padre cedió y me permitió volver a la escuela.

———

Terminé el primer año de la escuela secundaria. Pero en 2012, el marido de mi hermana, que era soldado, fue asesinado. Inmediatamente después de aquello, mi amiga y vecina se autoinmoló prendiéndose fuego. Uno de sus hermanos había oído que tenía novio y se lo dijo a su padre. Ella tenía tanto miedo que dijo que no le quedaba más opción que la muerte.

Cuando la vi salir corriendo de su casa, envuelta en llamas, algo se rompió en mi interior. Ya no podía concentrarme en mi formación. Estaba destrozada.

Volví a la escuela en 2013 y tenía la sensación de que estaba recuperándome. Había decidido terminar la secundaria e ir a la universidad.

Pero en agosto de 2014 el ISIS desbarató esos sueños.

Habíamos oído que Daesh, otro nombre de ISIS, secuestraba mujeres y les hacía cosas terribles. La edad no importaba: podían ser niñas, ancianas... Y su objetivo eran las yazidíes. Iban a las aldeas y destruían todo lo que veían. Se llevaban a las jóvenes y a las mujeres y mataban a los hombres. También mataban a los niños. A veces los enterraban vivos. Era un genocidio.

Oímos que habían tomado Mosul, que está a menos de dos horas de distancia. Todavía no podíamos creer que vendrían a por nosotros. Pero una noche, mientras veíamos las noticias en televisión, nos quedamos a oscuras. Se cortó la electricidad en todo el pueblo, lo que era una mala señal.

Asustada ante la posibilidad de que el ISIS se estuviera acercando, alguna gente ya había huido. Nosotros temíamos que tuvieran razón. Habíamos intentado llegar a Dohuk, pero ISIS controlaba las calles. Era demasiado peligroso. Estábamos atrapados.

Aquella noche dormimos en la azotea. Dos de mis hermanas no podían conciliar el sueño de preocupación. Cuando vieron luces a lo lejos, nos despertaron a todos. Una hilera de vehículos y tanques venía en nuestra dirección. Veíamos cómo los faros perforaban la oscuridad y oíamos el zumbido de los motores.

Sin ponernos siquiera los zapatos, corrimos a toda prisa a nuestro coche, que habíamos preparado para la huida. Mientras nos apretujábamos dieciocho personas en él, oíamos cada vez más cerca las explosiones y las balas y el combate.

Conduciendo sin luces fuimos a las montañas de Sinyar. Las mismas montañas a las yo había huido un par de años antes. Mi padre apenas podía ver nada, así que yo le iba dando indicaciones desde el asiento de atrás, sentada en el regazo de mi hermana. Otra hermana iba sentada a su lado, hiperventilando. Tenía tanto miedo que no podía hablar.

Pasamos ocho días en las montañas. No éramos los únicos que habíamos escapado. Como nosotros, miles de personas estaban huyendo. Algunos contaban que habían fingido estar muertos, mientras yacían entre sus seres queridos y familiares asesinados. Nosotros éramos afortunados de estar toda la familia juntos y vivos. Y nunca regresamos a casa.

Después fuimos a Dohuk, una ciudad en el Kurdistán, donde Ismat trabajaba en un hotel. No podíamos permitirnos alojarnos en el hotel durante mucho tiempo, así que nos refugiamos en un edificio a medio construir. No tenía ventanas ni paredes interiores: solo la fachada de cemento con espacios desnudos en los que nos instalamos temporalmente. Durante seis o siete meses vivimos allí con más de cien familias. Yo era feliz porque mi familia había sobrevivido a lo que más tarde supimos que había sido una de las peores masacres de yazidíes. Conocimos a gente que había perdido prácticamente a toda su familia. Nos contaron que militantes del ISIS habían secuestrado a mujeres, incluso a niñas de cinco años. Cuantas más cosas oía, más afortunada me sentía: afortunada de estar con mi familia, afortunada porque no me hubiera pasado nada, afortunada de estar viva.

Pronto también fui afortunada por conocer a Malala.

Había leído sobre ella y no podía creer que la iba a conocer en persona. Le conté cosas sobre mi vida y que estaba enseñando a algunos de los niños más pequeños del edificio a leer y a escribir porque quería darles esperanza. Me preguntó cuál era mi sueño y le dije que ir a la universidad, pero reconocí que no sabía si podría, y le pedí consejo.

Le dije:

—Soy muy fuerte y me siento confiada, pero ¿qué haré si algún día pierdo la esperanza? ¿De dónde voy a sacar la fuerza?

Me sonrió con timidez y dijo:

—Si pierdes la esperanza, podrás mirarte a ti misma y ver a tu alrededor lo que has conseguido. Ya eres fuerte.

María

Nadie puede arrebatarnos lo que llevamos dentro

•

Iscuandé, Colombia —> Cali, Colombia

En el verano de 2017 fui a México y conocí a muchas chicas latinoamericanas que estaban desplazadas por la violencia organizada. En ese viaje aprendí una nueva palabra española: luchadora. Mientras que algunas luchadoras buscan la gloria, el objetivo de las jóvenes que yo conocí era la educación y una vida mejor.

María es una de esas jóvenes. También es una de los 7,2 millones de personas desplazadas por el conflicto civil que sufre Colombia desde hace más de cuarenta años.

Siempre que María se sentía abrumada, recurría a su creatividad. Cuando tenía dieciséis años, hizo un documental sobre la vida de los desplazados porque, como me dijo ella misma, quería que la gente viera cómo viven las personas desplazadas, «cómo luchan por salir adelante».

El día que la conocí, antes de que nos separáramos, María bailó para nosotros. Fue breve, pero todos aplaudimos y la vitoreamos, y cuando sonrió, no solo vi la fuerza y la determinación sino también la alegría que le permite seguir adelante.

Malala

Me gustaría poder pensar en mi padre con claridad. Me cuesta mucho trabajo verle, incluso cuando cierro los ojos. Los recuerdos que tengo de él son nebulosos, como el humo.

Me crie cerca de la costa de Colombia, en una zona rural. Mi padre era campesino. Si queríamos fruta, solo teníamos que ir a nuestro jardín y coger un mango de los árboles. O una naranja o un chontaduro, que es un fruto originario de Colombia. Teníamos pollos, cerdos y verduras que mi madre cultivaba en su huerto. Teníamos campos en los que corríamos y jugábamos. Esto es lo que recuerdo cuando pienso en «hogar».

Pero nos marchamos cuando yo tenía cuatro años, antes de que muchos de esos recuerdos pudieran arraigar. Esas imágenes se basan en lo que mis hermanas mayores y mi madre cuentan que hemos perdido. Yo creo que recuerdo, pero a lo mejor solo estoy recordando lo que me han contado.

Puedo decir lo mismo de mi padre. Mi mamá dice que soy igual que él. Que los dos tenemos la cara redonda y mofletes.

Yo no recuerdo su rostro muy bien, pero sí me acuerdo del día que nos marchamos de la granja.

Mi hermana mayor tenía dieciocho años.

—¿Por qué nos marchamos? —preguntó.

—Tenemos que ir a buscar trabajo —repuso mi madre.

Ya era tarde aquel día y mi padre no estaba por ningún sitio. Mi madre parecía muy agobiada y mi hermana preguntó:

—¿Y papá?

—Tiene que quedarse aquí. Vendrá con nosotras más adelante —le dijo mi madre.

Esa misma noche, mi madre, mis cuatro hermanos y yo cruzamos el río en un pequeño bote. Íbamos con mucha prisa y eso me asustó. No sabía entonces que estábamos escapando.

———————

Cuando por fin llegamos a Cali, la segunda ciudad de Colombia, mi madre me dio un peluche blanco y dijo:

—Esto es de tu padre —su rostro era impenetrable.

Lo que no me contó fue esto: que mi padre había sido asesinado el día antes y que estábamos huyendo porque mi madre temía que después iríamos nosotros. Mantuvo ese secreto durante años.

En Cali no teníamos adónde ir. Acabamos en una especie de campo, una ciudad de tiendas de plástico y de cualquier otro residuo que pudiera servirnos de refugio. Era uno de los muchos asentamientos irregulares que habían surgido debido a la violencia que se había extendido por el país.

Yo odiaba vivir de esa manera. Hasta las cosas más simples, como cepillarse los dientes o lavar la ropa, eran difíciles porque solo había dos espitas de agua para ochocientas personas. Mi madre tenía que hacer una larga cola para conseguir agua y comida.

—Mamá, ¿por qué tenemos que hacer cola para esto? ¿Dónde están los mangos? —preguntaba yo.

No comprendía por qué no podíamos volver a casa. No comprendía que ya no teníamos una casa a la que volver.

Ella me explicó que las cosas eran distintas ahora. Teníamos que comprar comida y para ello necesitábamos dinero, así que iba de tienda en tienda preguntando si alguien quería pagarle por lavar su ropa.

A los cuatro o cinco ya años sentía la presión constante de la pobreza, y la delincuencia que conlleva: las bandas tenían el poder en el campamento. Era normal oír disparos, como lo era el temor a las balas perdidas. Para empeorar las cosas, tenemos la piel más oscura que otros habitantes de Colombia y hablamos con acento rural. Mi familia y yo llamábamos la atención y la gente era horrible con nosotros. Nos trataban peor que si fuéramos animales.

Yo sabía lo que significaba ser desplazada desde muy pequeña, aunque no conocía la palabra. Fue después de que nos marcháramos de aquel lugar —yo tenía siete años— cuando mi madre por fin le dio un nombre.

—Somos desplazadas —me dijo.

La palabra era nueva, pero la sensación no. Mi madre la había aprendido en una organización comunitaria para familias desplazadas. También nos ayudaron a reubicarnos: nos mudamos a una casa, y aunque era mejor que la tienda, estaba en unas condiciones tan malas que cada vez que llovía el agua también caía en el interior.

No nos quejamos.

A través de esa organización comunitaria mi madre entró a formar parte de un grupo de apoyo en el que la gente compartía sus historias. Y me matriculó a mí y a mis hermanos en un grupo de teatro que se reunía los fines de semana.

Representamos una obra que los niños escribieron a partir de sus propias vivencias. Los miembros del grupo habían llegado a Cali de toda Colombia y contaban la historia de su viaje. Aunque procedíamos de distintos sitios y nuestro pasado era diferente, las experiencias eran parecidas en el sentido de que todos habíamos tenido que abandonar nuestro hogar o arriesgarnos a morir si nos quedábamos. Así que cada uno contó un fragmento de nuestra historia de tal manera que relatamos toda la experiencia de las personas desplazadas internamente en Colombia. Lo llamamos *Nadie puede arrebatarnos lo que llevamos dentro*.

———————

Desde aquella primera casa llena de goteras me he mudado ocho veces. Pero nunca me he sentido «en casa» en ningún lugar que no sea aquel que mantengo vivo en el recuerdo, de cuando era niña, antes de que todo mi mundo cambiara. Aunque el gobierno ha declarado que la guerra ha terminado, el lugar que yo llamaba mi casa sigue considerándose territorio de la guerrilla. Sigue sin ser seguro. Además, llevamos fuera tanto tiempo que se nos considera extraños no solo en Cali sino allí también.

Así que cuando sueño con el hogar, sueño con mangos que puedo coger de los árboles. Sueño con la tranquilidad y la hierba. Sueño con la paz. Y nadie puede arrebatarme eso.

Analisa

Afortunada

•

Guatemala → México → Texas → Massachusetts

Aunque en todo el mundo hay mujeres y niñas que huyen de las guerras y del terrorismo, hay algunas regiones en las que la violencia y la opresión se ejercen en el seno de la comunidad, o dentro de casa. Analisa se encontró en esa situación y arriesgó todo por lo que esperaba que sería una vida mejor y más segura.

Como muchas antes que ella, descubrió que huir de su vida en Guatemala no era más que el principio. El viaje es tan peligroso que no lo sobrevive todo el que lo comienza. A pesar de todo, el número de personas que huyen de América Central —especialmente de Guatemala, El Salvador y Honduras— sigue aumentando con rapidez. Según el Alto Comisionado de las Naciones Unidas para los Refugiados (ACNUR), en 2017 hubo casi 300.000 solicitantes de asilo de la región. Analisa tomó una decisión que muchas otras personas han tomado y seguirán tomando. Y cuando la tomó, ya no había vuelta atrás.

Malala

E staba oscuro.
Nos aproximábamos a la última casa de seguridad de mi viaje cuando alguien dijo que Inmigración había estado allí la noche anterior. Sentí una opresión en el pecho.

—Si viene Inmigración, corred todo lo rápido que podáis y escondeos —dijo en voz baja nuestro guía, que había dejado de gritarnos desde que nos recogió: «¡De prisa!», «¡Silencio!», «¡Quietos!», tratándonos como animales.

Entonces comenzaron los murmullos: si te coge Inmigración, vas a la cárcel y te deportan a tu país. Si no te cogen, lo más probable es que te pierdas y nunca llegues a Estados Unidos.

Me entró pánico, porque tampoco sabía cómo regresar a Guatemala. Empecé a pensar que había sido un error venir.

———————

Hasta los cuatro años viví con mi madre en una habitación sin electricidad en Mazatenango, una pequeña ciudad de

Guatemala. Ella trabajaba todo el día vendiendo flores en el mercado y después se quedaba en la calle hasta muy tarde. En realidad, nunca estaba en casa. Mi hermana mayor me cuidaba y mi segunda hermana mayor me llevaba a la escuela con ella para que no me quedara sola. Nunca había comida en casa. Recuerdo que siempre tenía hambre.

Entonces mi madre murió. Ella y mi padre nunca habían estado juntos, pero él vino a su funeral y me llevó a vivir con él y con su mujer. Pensaba que mi hermana era demasiado joven para ocuparse de mí y temía que el padre de mis otros hermanos me tratase mal porque no era hija suya.

Cuando cumplí quince años en casa de mi padre, hizo una tarta para mí. Fue la primera tarta que comí en mi vida.

Mi padre era cariñoso y le gustaba bromear, pero también era estricto: después de clase quería que fuera directamente al mercado, donde tenía una mercería, para hacer los deberes. Insistía en que siempre cuidara mi caligrafía. Cuando revisaba mis cuadernos del colegio, bromeaba: «¡Ese número se ha dormido!», si alguno no estaba completamente derecho.

Mi padre empezó a llevarme a la iglesia. Me bautizaron como adventista. Me enseñó que debía respetar a los demás, temer a Dios y no perderme. Con eso quería decir que debía hacer realidad mi potencial. Y, al contrario que mi madre, nunca me dejó sola en casa. Tenía una moto y me llevaba con

128

él a todas partes. Aquellos viajes en moto me daban sueño y él temía que pudiera caerme, por lo que compró un cinturón amarillo con el que ataba mi cintura a la suya.

Él era mi red de seguridad.

———————

Acababa de cumplir quince años cuando mi padre sufrió un peligroso accidente: se cayó de espaldas por las escaleras.

Mi hermanastro Óscar estaba de visita por aquellas fechas. Apenas conocía a Oscar y no me caía bien. Mi padre no permitió que le lleváramos al hospital e insistía en que estaba bien, pero cuando empezó a actuar y a hablar de forma extraña, Óscar le llevó.

Mi padre nunca volvió a casa.

Cuando murió, mi madrastra se puso de luto y Óscar se mudó con nosotros. Se hizo cargo de la tienda y de mi vida. Era terrible: no quería que saliera de casa ni que fuera a trabajar. Yo me había propuesto acabar el colegio e ir a la universidad para estudiar medicina, así que estaba ahorrando el dinero que ganaba en la tienda de mi padre para ello. Cada sábado, después de trabajar toda la semana, mi padre me daba diez quetzales. Me decía que me comprara lo que me apeteciera, pero yo escondía aquel dinero debajo de mi cama. Quería ahorrarlo para algo importante.

Pero un día Óscar encontró el dinero. Me gritó: «¿De dónde has sacado esto?», y le dije que llevaba meses ahorrándolo, pero me acusó de robarlo de la tienda.

Se llevó el dinero y me di cuenta de que estaba atrapada. Este hombre era un desconocido y no iba a cuidarme. Entre tanto, mi madrastra, que ya tenía una salud frágil, se puso gravemente enferma. Creo que estaba destrozada de tristeza.

Yo no sabía qué hacer: no podía vivir en la misma casa que Óscar, pero no tenía adónde ir.

Fue entonces cuando mi hermanastro Ernesto llamó desde Estados Unidos. Era hijo biológico de mi madre, pero yo no tenía ningún recuerdo de él. Se había marchado de Guatemala a los quince años, la misma edad que tenía yo en aquellos momentos. Cuando mi madre estaba viva tampoco le había cuidado y él sabía que le iría mejor solo. Se enteró de la muerte de mi padre por mi hermana mayor, que no tenía casa ni dinero para ocuparse de mí.

Entonces Ernesto me dijo: «¿Quieres venirte a vivir conmigo?».

Colgué el teléfono confusa. Sabía que no podía quedarme con Óscar y que mi madrastra no estaba lo suficientemente bien como para cuidarme. Por otra parte, apenas conocía a Ernesto. Era mi hermanastro, pero también lo era Óscar. Eso no significaba nada para mí. Pedí a Dios que me guiara: «Por favor, envíame una señal».

No había llovido en mucho tiempo, así que recé: «Si envías lluvia el domingo, lo consideraré un sí, que debo marcharme y que tú me protegerás. Si no llueve, no me iré. Significará que no merece la pena correr ese peligro».

Aquel domingo, por primera vez en varias semanas, llovió.

La siguiente vez que Ernesto llamó le dije que estaba dispuesta.

Mi madrastra estaba escuchando la conversación. Cuando colgué, empezó a llorar. Le prometí que todo iría bien. Le hablé de la lluvia. Le dije que tuviera fe.

Dije a mis amigos que no iba a terminar el colegio ese año porque me marchaba. No dejaban de bromear diciéndome que les olvidaría cuando estuviera en Estados Unidos. Cuando se lo conté a mis profesores, se rieron. Nadie creía que realmente me fuera a marchar. Todo eso me ponía muy triste.

Dejé de ir al colegio un martes y pasé dos días trabajando en la tienda de mi padre. El jueves me compré unos zapatos que aguantaran todo el viaje. El viernes, todos mis amigos vinieron a casa. Por fin se daban cuenta de que me marchaba de verdad. Conteniendo las lágrimas, abracé a cada uno de ellos. Sabían que iba en serio. Mi amigo me había enseñado a tocar la guitarra: trajo la suya y cantó una canción de despedida. Entonces cantamos todos juntos.

Cuando fui a despedirme de mi madrastra, nos abrazamos y ella lloró y dijo que siempre rezaría por mí. Se encontraba tan enferma que yo estaba más preocupada por ella que por mí.

Aquella noche Óscar dijo que estaba harto de cuidar de mí. No sé por qué estaba siempre tan irritado conmigo, pero me reafirmó en mi decisión de marcharme.

Al día siguiente, cogí un autobús a Petén, una región de Guatemala limítrofe con México. Allí pasé la noche en una casa segura con otras cinco personas que hacían el mismo viaje. Dos hombres fornidos, una mujer salvadoreña y dos chicos jóvenes de mi edad. No hablamos sobre nuestras razones para marcharnos, pero yo sabía que cada uno sentía, como yo, que no tenía elección.

Nos llevaron hasta la frontera mexicana, donde tuvimos que cruzar un río que está la mitad en Guatemala y la mitad en Chiapas, México.

Allí subimos a una pequeña balsa de madera. Los hombres que nos conducían llevaban armas. «Para los animales», dijeron. Yo lo comprendí cuando vi cocodrilos entrar en el agua deslizándose silenciosamente desde la orilla. Por primera vez tenía miedo de verdad. Estábamos en las profundidades de la jungla: había monos columpiándose en los árboles sobre nuestras cabezas y grandes rocas en el agua que teníamos que evitar. Empezó a llover y vi que se formaban torbellinos delante de nosotros. Empezamos a tambalearnos en los rápidos. La gente gritaba: si chocábamos contra una roca o nos llevaba la corriente, la balsa se hundiría. Cerré los ojos y recé durante la hora que duró la travesía.

Cuando llegamos a suelo mexicano, suspiré.

Una vez en México, subimos a un camión con otras veinticinco personas de toda América Central. Nos enteramos de que los oficiales de Inmigración habían estado allí la noche anterior, por lo que teníamos que ser especialmente cautelosos. Después de conducir varias horas por carreteras sin asfaltar llenas de baches, nos ordenaron que cruzáramos la ladera de una montaña completamente a oscuras. Por fin llegamos a una casa que estaba en construcción y nos permitieron descansar allí. Estaba tan agotada que caí dormida. Si no me hubiera despertado alguien, me habrían dejado atrás.

Entonces nos apretujamos en una camioneta que nos llevó a otro lugar donde tuvimos que bajar y correr para llegar al siguiente punto de recogida. Eso fue el caos. Antes de que el vehículo se hubiera detenido por completo, a los más de cien que éramos nos gritaban que subiéramos lo más rápidamente posible. Vi que a un niño pequeño lo lanzaban a la plataforma de la camioneta como si fuera un muñeco. Una mujer embarazada lloraba y gritaba por los empujones que le daban los hombres que estaban a cargo. Era una camioneta para transportar ganado y desde luego se nos trataba como a animales. No había suficiente sitio para tanta gente, así que yo estaba completamente aplastada contra aquellos extraños. Viajamos así dos días.

Cuando por fin llegamos a la siguiente casa segura en México, abrí mi mochila. Estaba desesperada por darme una ducha y cambiarme de ropa. Había guardado dos camisetas, dos pantalones y algo de ropa interior. Vi que mi madrastra también había metido una pequeña toalla.

Me vino muy bien. Yo pensaba que, en una semana, me encontraría en Estados Unidos, pero estuvimos un mes entero en aquella aldea. Teníamos que quedarnos allí porque una camioneta como la que nos había traído había volcado cargada de inmigrantes. Muchos habían muerto en el accidente. La zona estaba llena de agentes de Inmigración, por lo que nos dijeron que permaneciéramos escondidos.

Siento mucha gratitud por haber estado en una casa de gente buena. Nuestro anfitrión tenía un tatuaje de una iguana, así que le llamábamos Iguana. Cinco de nosotros nos quedamos con él, y tenía un hijo joven que nos invitaba a ver películas o a jugar al fútbol. Cuando llegó el momento de partir, estaba incluso un poco triste de marcharme por lo amables que eran.

Cuando llegamos al último tramo del viaje, empecé a preguntarme si había tomado la decisión correcta.

El hombre que se hizo cargo de nosotros cerca de la frontera de Texas empezó a amenazarnos a los miembros de nuestro grupo para que guardáramos silencio. No dejaba de decir: «¡Tranquilos!», pero de una manera que nos provocaba pánico. Nos condujo al río y nos dijo que dejáramos allí todas nuestras pertenencias y cruzáramos con lo puesto.

Respiré profundamente, rogué a Dios que todo saliera bien y subí a la balsa. Estaba tan cerca... pero había oído decir muchas veces que cruzar ese río era particularmente peligroso, el lugar en el que la mayoría de la gente es atrapada y deportada incluso antes de entrar en Estados Unidos.

No hubo tiempo para sentir alivio en el momento en que nuestra balsa llegó a la orilla: nuestro guía nos dijo que corriéramos todo lo rápido que pudiéramos. Yo iba con dos niños de mi edad, una madre joven, su hijo de tres años y una mujer mayor. Decidimos no separarnos.

Nos habían dicho que buscáramos una lucecita junto a puente y que la siguiéramos, ¡pero había tantas lucecitas en la distancia! Corrimos durante dos horas. A la anciana le costaba mucho trabajo seguir nuestro ritmo. Una y otra vez decía: «No puedo».

Yo también estaba a punto de abandonar cuando vi la carretera delante de nosotros. Para entonces, la mujer mayor apenas podía caminar. Llevábamos poco tiempo en la carretera cuando se detuvo un coche de policía. Varios agentes se bajaron y nos hicieron arrodillarnos en la carretera. Nos ordenaron a gritos que nos quitáramos los cinturones y los cordones de los zapatos. Entonces nos llevaron a un almacén gigantesco, donde nos dijeron que nos sentáramos en el suelo de cemento.

Uno de los oficiales no dejaba de gritar en español: «¿Por qué hacen esto? ¿Les gusta sufrir?».

Él era la única persona que hablaba español allí. Nos llevaron a una habitación en la que hacía una temperatura gélida: me enteré de que la llamaban la *hielera*. Nos dieron mantas térmicas de aluminio y nos dijeron que nos pusiéramos en fila para contarnos y tomar nuestros datos.

Yo estaba tan cansada que empecé a dar cabezadas, pero un guardia no dejaba de darme darme empujoncitos con la mano para despertarme. Uno a uno nos tomaron las huellas dactilares, nos pesaron y nos fotografiaron.

Me preguntaron si había alguien en Estados Unidos que se hiciera responsable de mí y les hablé de Ernesto. Me pidieron su número. Yo lo había memorizado pero, por si acaso, también me lo había escrito en los pantalones.

Finalmente, me llevaron a una habitación y me dieron el teléfono: «¿Analisa? ¿Estás bien?», era Ernesto.

Le aseguré que me encontraba bien, solo cansada.

No tuve tiempo para decirle que también estaba un poco aliviada. De escuchar su voz. De haber llegado tan lejos.

Esa noche me metieron en un coche y me llevaron a un lugar llamado la *perrera*. Como en el caso de la *hielera*, ignoro su nombre oficial. Se trataba de un almacén gigantesco con alambradas que separaban las distintas secciones, de forma que tenías la impresión de ser un perro en un chenil.

Al menos me pusieron con otras chicas de mi edad; a los chicos los mantenían separados. Para distraernos, comparábamos nuestros viajes: «¿Cruzaste en ese sitio? ¿Qué fue lo que más miedo te dio? ¿Conociste a gente simpática en el camino?».

Una chica de El Salvador me dijo que había hecho el viaje con otra muchacha que no lo consiguió. Le pregunté qué pasó.

Me contó que habían venido en tren, que yo sabía que era muy peligroso. Tienes que saltar al tren cuando está saliendo de la estación o cuando frena a lo largo de la ruta. Al saltar, su amiga se hizo un corte muy profundo en la pierna. Sangraba tanto que murió en el vagón. Nadie sabía qué hacer. A algunos les entró pánico y tiraron su cuerpo desde el tren en marcha.

La chica temblaba mientras contaba la historia. Todavía estaba traumatizada por la experiencia y yo entendía por qué: no era la primera vez en todo el viaje en que me consideraba afortunada de seguir viva.

Me parece que estuve dos días en aquel lugar. No estoy segura porque las luces eran muy fuertes y no había ventanas, así que no podías saber si era de día o de noche.

Yo pasaba el tiempo hablando con las otras chicas. Pregunté a cada una cuánto tiempo creían que nos tendrían allí. Ninguna lo sabía.

Otras lloraban, especialmente las más pequeñas. Las mayores y yo tratábamos de tranquilizarlas, pero ninguna sabía qué iba a ocurrir.

Nos limitábamos a permanecer sentadas y nos fijamos en que algunas chicas tenían pulseras en las muñecas o en los tobillos; otras tenían cadenas. Nadie sabía por qué o quién sería la siguiente a la que llamarían. Como no hablábamos inglés, y ninguno de los guardias hablaba español, no sabíamos lo que decían. Observábamos su lenguaje corporal y hacíamos todo lo posible por imaginarnos qué querían. Era imposible.

Al fin, después de cinco días entre la *hielera* y la *perrera*, me llevaron a un refugio con chicas de mi edad. Ahora sé que se trata de refugios infantiles gestionados por la Oficina de Reasentamiento de Refugiados. Son específicamente para niños que vienen aquí solos.

Al principio me gustó: tenía una cama y podía ducharme. No me importaba que un silbato nos despertara cada mañana a las seis en punto, como si fuéramos soldados. Podíamos ir a clase a aprender inglés y ver películas por la noche. Pero estaba impaciente porque no sabía cuánto tiempo estaría allí. Algunas de las chicas que conocí llevaban seis meses; otras, más de un año.

Entre tanto, mi hermano hacía todo lo que podía para sacarme de allí. Después de seis semanas, lo consiguió.

Estaba muy contento de verme… ¡lo había conseguido! Estaba viva. Pero mi mente era una tábula rasa. Todo era extraño, también él. Aunque sabía que le había conocido de niño, no tenía recuerdos suyos de la infancia. Y hasta entonces, este lugar no había sido muy cordial.

Pero ahora sé que, ocurra lo que ocurra, incluso con todo lo que he pasado y con todo lo que me espera, no estoy sola. Dios está siempre conmigo.

Antes de partir de Guatemala pedí a Dios una señal, y llovió. También recé para que hubiese una iglesia cerca de donde viviera. No tengo a mi padre, pero tengo mi fe.

Cuando llegué a casa de mi hermano, vi que vivía detrás de una iglesia adventista. Levanté la vista al cielo y pensé: «Gracias, Dios mío».

Marie Claire

Un nuevo comienzo

•

Congo → Zambia → Pensilvania

Conocí a Marie Claire en una impersonal sala en Lancaster, Pensilvania. Me habían invitado a participar en un programa anual en honor a los refugiados y la comunidad que los había acogido. Me dijeron que a Lancaster se la suele llamar la capital de los refugiados de Estados Unidos, y aunque había recibido la invitación un par de años antes, esta era la primera vez que podía asistir.

Mi visita fue una sorpresa para todos, y pronuncié un discurso. Así es como ocurre a veces. Llego, una sorpresa, y hablo ante una sala llena de gente extraordinaria.

Pero en eventos como estos siempre estoy más interesada en escuchar que en hablar. Aquel día me encontraba en una sala con seis chicas y chicos refugiados, cada uno de los cuales relató su experiencia. Recuerdo a Marie Claire no solo por la historia que contó, sino también por la que no contó. Estaba llena de fuerza, pero yo podía oír el dolor en su corazón y ver las lágrimas en sus ojos. A medida que hablaba, yo percibía su trauma y su triunfo. La imagen del momento en que nos reveló su pasado sigue en mi mente.

Malala

Mi madre solía decirme: «Marie Claire, ¿qué quieres hacer? ¡Persigue tus sueños!».

Me lo dijo por primera vez cuando llegué a casa llorando del colegio porque unos niños habían sido crueles conmigo. Había llegado a Zambia el año anterior huyendo de la violencia en la República Democrática del Congo con mi familia. No hablaba bien la lengua ni tenía el mismo aspecto que los demás niños de mi clase. Se burlaban de mí, me insultaban e incluso me escupían.

Yo suplicaba a mi madre: «Por favor, no me hagas volver».

Y ella me acariciaba la cabeza mientras lloraba en su regazo y me decía: «Olvídalos, Marie Claire. ¡Persigue tus sueños!».

Yo recordaba esas palabras cuando me desperté el 16 de enero de 2016. Lo primero que vi fue el gorro y el traje rojos que estaban colgados fuera del armario. Los había colocado ahí a propósito la noche anterior. Tenía que verlos, saber que realmente estaba ocurriendo.

Oía a mi padre y a mis hermanos en la cocina y el ruido de los cacharros del desayuno. Él hablaba con una voz profunda que llenaba la casa con su orgullo.

Ese fue mi gran día y mi sueño hecho realidad: era la primera persona de mi familia que se graduaba en el instituto. En mi corazón sentía plenitud y dolor al mismo tiempo. Este también había sido el sueño de mi madre. Ella debería haberlo vivido conmigo.

―――――――

Yo era pequeña cuando mi familia se marchó del Congo. No sé qué edad exacta tenía entonces, pero apenas guardo recuerdos felices de aquella época, aparte de jugar con otros niños de nuestra aldea durante los pocos momentos de tranquilidad de que disfrutábamos entre una violencia inaudita. La guerra comenzó el año en que nací: eso es todo lo que sabía. En la mayor parte de mis recuerdos estamos huyendo. Pasamos los primeros cuatro años de mi vida en la selva, literalmente corriendo. Tengo recuerdos borrosos de dirigirnos al sur, hacia Zambia, moviéndonos siempre por la noche y durmiendo bajo arbustos espinosos durante el día para protegernos de los animales salvajes. Recuerdo estar cansada y hambrienta, y también saber, a tan corta edad, que si nos atrapaban las milicias que sembraban el terror en nuestro país, nos matarían. Así que corríamos.

Con la ayuda de pastores protestantes y sacerdotes, conseguimos un bote para llegar a Zambia. Allí era donde huía mucha gente: según ACNUR, todavía sigue habiendo 4,25 millones de personas desplazadas internamente en el Congo y más de seiscientas mil están refugiadas en el África subsahariana. La guerra en el Congo es una guerra civil entre las fuerzas rebeldes y el gobierno, como las guerras de Siria y el Yemen. Pero aunque la del Congo es muy anterior, prácticamente se la ignora.

Todo lo que sé es que mi familia formaba parte de la corriente constante de refugiados que huían del país en busca de seguridad. Queríamos vivir, así que teníamos que marcharnos.

En Zambia no nos querían allí. La gente nos gritaba por la calle: «¡Volveos a vuestro país! ¿Por qué estáis aquí?». Los niños nos insultaban a mí y a mis hermanos en la escuela, incluso nos tiraban piedras y nos gritaban: «¡No sois de aquí!».

No éramos de allí, pero no teníamos otro sitio al que ir.

Mis padres encontraron una casa barata de una habitación, que era mejor que la tienda de plástico en la que habíamos vivido en el campo de refugiados cuando llegamos. De todas formas, estábamos hacinados: yo, mis dos hermanos pequeños, dos hermanas mayores y mis padres éramos siete personas durmiendo en una pequeña habitación. Pero no nos importaba, era mucho mejor que dormir en la selva en el Congo. Todo lo que teníamos era mejor en comparación con lo que habíamos dejado atrás. Mi padre no dejaba de decir que era temporal; él y mi madre estaban ahorrando para una casa más grande.

En este sitio pude ir al colegio por primera vez en la vida. Tenía once años. Comencé en el curso tercero, y como era mucho mayor y más grande que los demás alumnos, se reían de mí. No hablaba inglés y solo chapurreaba el nyanja, que era la lengua local en Zambia. La única lengua que conocía era el kinyarwanda, que hablábamos en el Congo. Pero entendía los insultos. Los otros niños sabían que yo era una refugiada. Como la gente por la calle, ellos también decían: «¡Vuélvete al Congo! ¡No eres de aquí!».

Aunque algunos maestros también eran crueles, unos pocos me apoyaban. Decían: «Aprenderás. Solo hay que dedicarle tiempo».

Tuve que repetir el curso tercero. Era difícil hacer amigos. Mi madre sabía que estaba pasándolo mal en la escuela. A ella también le costaba trabajo comunicarse. Cada día se levantaba y ponía su mesa en el vecindario para vender las cosas que cultivaba y que elaboraba para mantener a nuestra familia. La gente hacía comentarios desagradables o se negaba a pagar. Había mucho odio. Le recordaba al Congo, a lo que habíamos dejado atrás. Pero ¿adónde podríamos ir si no?

Así que siempre que yo decía:

—Hoy no voy a la escuela. Los niños siempre se están riendo de mí. No lo soporto.

Ella respondía:

—Es tu vida. No la de ellos. Ignóralos y céntrate en lo que quieres.

Lo que mi madre quería era una vida mejor para su familia. Solía rezar en voz alta: «Mi Señor, puedes tomar mi vida si mis hijos están a salvo». Aún vivíamos en un campo de refugiados cuando oyó que podíamos solicitar visados de refugiados a través de ACNUR. Así que cuando nos mudamos a Lusaka, buscó una oficina de ACNUR y comenzó el proceso de solicitud. Le dijeron que podía durar años. Ella estaba dispuesta a esperar.

No sabíamos lo que tardaría, pero lo que sí sabíamos es que no estábamos a salvo. Ya nos habían atacado varias veces. Hombres enmascarados habían robado a mi madre una tarde cuando recogía su puesto. En otra ocasión, habían amenazado a mi padre: «Mas vale que os marchéis; de lo contrario, os mataremos». El hecho de que mis padres estuvieran consiguiendo abrirse camino alimentaba el resentimiento. No estábamos seguros de quiénes eran aquellos hombres enmascarados: podían haber sido de Zambia o del Congo.

Una tarde oímos una gran agitación fuera de nuestra casa. Más de diez hombres armados con machetes y cuchillos habían rodeado el edificio. Varios golpeaban la puerta. En África había ladrones que irrumpían en las casas para robar, pero esto era diferente.

Mi madre y mi padre habían oído hablar de esas bandas de vigilantes que se dedicaban a aterrorizar a los refugiados, y ahora teníamos una a la puerta de nuestra casa.

Yo tenía doce años y estaba paralizada de miedo. Mis hermanos y yo nos acurrucamos en un rincón mientras mi madre gritaba: «¡No hagáis nada a mis hijos! ¡Si queréis a alguien, tomadme a mí!». Ella fue la primera a la que atacaron; la sacaron a rastras a la calle. Mi padre intentó impedirlo mientras mis hermanos lloraban y chillaban pidiéndoles que se detuvieran. Entonces se volvieron hacia mi padre.

Mi madre murió delante de nosotros aquel día. Para mí, el recuerdo más doloroso es que la dejaron desnuda, algo que a día de hoy sigo sin entender. Creíamos que mi padre también había muerto. Vimos cómo le apuñalaban en la cabeza varias veces.

Nos fuimos a vivir con nuestro hermano mayor. Estábamos en shock. Al principio creíamos que nuestros padres habían muerto los dos, pero unos días después el médico nos dijo que nuestro padre seguía vivo.

Un milagro.

La policía vino a recabar información. Decían que estaban buscando a los asesinos de nuestra madre, pero nunca hubo ningún imputado. No seguimos el procedimiento porque éramos indocumentados, lo que técnicamente significaba que no podíamos permanecer en Zambia. No teníamos derechos. No teníamos madre. Ni casa. Dejé la escuela para cuidar a mi padre.

Tardó meses en recuperarse, y yo también. No podría haber ido a la escuela con todo lo que había ocurrido. Estaba en shock. Hasta más tarde no me percaté de la brutal ironía de que habíamos escapado de una violencia para sufrir otra. Y no dejaba de pensar en la plegaria de mi madre: «Puedes tomar mi vida si mis hijos están a salvo». Ellos se llevaron a mi madre, pero no su amor. Todavía me queda eso y me da fortaleza.

El año después de la muerte de mi madre apenas salí de casa. Estaba sumida en el dolor. Cuando por fin me encontré lo bastante fuerte como para volver a la escuela, mi nuevo maestro me mandó al sexto curso. Empecé a tomarme los estudios muy en serio. Era un vínculo con mi madre. Ella siempre decía: «Marie Claire, con una buena formación, podrás hacer lo que quieras». Ni ella ni mi padre tuvieron la posibilidad de ir a la escuela. Su sueño era que yo fuera y me graduara algún día. Así que estudié mucho, no solo por mí sino también por ella.

Las cosas fueron mejorando con el paso de los años. Yo era muy buena alumna; los niños dejaron de burlarse de mí porque era congoleña. Hablaba la lengua local con fluidez y en Zambia empezamos a encontrar menos hostilidad y a sentirnos más en casa. Animamos a nuestro padre a que se volviera a casar: yo estaba muy ocupada con la escuela, lo mismo que mis hermanos, y él parecía muy solo. A través del pastor de su iglesia conoció a su esposa, que también es del Congo. Se casaron en 2012.

Entonces, un día, mi padre recibió una llamada de ACNUR diciéndole que nuestra solicitud había sido aceptada. No sabíamos adónde íbamos, solo que nos marcharíamos pronto de Zambia.

Fue una noticia agridulce, pues había sido mi madre quien puso en marcha ese proceso muchos años antes. Recuerdo que recibimos una llamada para una entrevista cuando todavía estaba viva, y todos estábamos muy esperanzados, pero después no volvimos a saber nada durante años y entre tanto la perdimos. Yo tenía dieciséis años cuando nos volvieron a llamar: querían entrevistar a todos los miembros de nuestra familia extensa que habían presentado la solicitud. A mí me entrevistaron más de cinco veces en los tres años siguientes. Así que cuando recibimos la llamada para decirnos que nos lo habían concedido, casi no podía creerlo.

Una semana antes de la fecha en que estaba previsto que abandonáramos Zambia nos dijeron que nuestro nuevo hogar estaba en Lancaster, Pensilvania. Me puse a investigar un poco y me enteré de que era la «capital de los refugiados» de Estados Unidos porque viven muchos en esa ciudad. Estaba entusiasmada. Por fin iba a tener papeles. Un hogar. Una vida. Un nuevo comienzo. Todo empezaba a parecerme real.

———————

Mi ángel de la guarda fue Jennifer. Nos recibió a mí y a mi familia en el aeropuerto cuando llegamos a Pensilvania.

Nunca olvidaré cuando vi allí de pie a esta pequeña mujer blanca con su gran sonrisa y su melena rubia, sujetando un cartel que ponía ¡BIENVENIDOS A LANCASTER! Desde ese momento, ella, su esposo y sus hijos se han convertido en nuestra familia estadounidense.

Yo casi tenía diecinueve años y me entusiasmaba la perspectiva de terminar el instituto. Solo me faltaba un año. Pero entonces me enteré de que la edad máxima en el nuevo colegio era dieciocho años. Yo no quería una convalidación, así que fui a hablar con el orientador educativo a cargo de las admisiones y le pedí que por favor me dieran una oportunidad. Él me explicó que su experiencia con refugiados era que la mayoría habían perdido tantas clases que cuando llegaban les resultaba muy difícil recuperar toda la materia y aclimatarse.

Le convencí de que yo podría hacerlo: era una buena estudiante y hablaba inglés bien. Solo tenían que darme una oportunidad.

Todo el tiempo me imaginaba a mi madre susurrándome: «Puedes hacer realidad tu sueño».

Este era mi sueño.

Cuando dijo: «Te daré una oportunidad», tuve que aguantar las lágrimas.

Me mandó al último curso y me dijo que tenía cinco meses para obtener el diploma. Si no podía terminar el curso, tendría que hacer la convalidación.

La graduación fue en junio de 2016. Me desperté y vi el traje y el gorro rojos en mi cuarto. Oí a mi familia charlar en el piso de abajo en mi nuevo hogar. Salté de la cama.

Aquel día se graduaron seiscientas personas, pero yo tenía la sensación de que destacaba, ahora en el buen sentido. Tengo fotos de mi familia llevándome a hombros entre la muchedumbre, sus rostros rebosantes de alegría. Mi padre sonreía con tanto entusiasmo que tenía los ojos cerrados. Jennifer, a quien había empezado a llamar mi mamá americana, estaba radiante de orgullo. Cuando me levantaron en volandas y me recogieron, también sentí que mi madre me sujetaba en el aire por un momento, sonriéndome desde lo alto.

Jennifer

Tenía que hacer algo

•

Pensilvania

Mi corazón rebosa de orgullo y de amor el día de la graduación de Marie Claire. Es la primera de su familia que ha terminado el instituto. Para ellos esto ha sido un hito, el segundo después de su llegada a Lancaster seis meses antes.

Su graduación era un símbolo de lo que era posible. Su familia estaba tan entusiasmada que cuando recibió el diploma empezaron a vitorearla en medio de un público silencioso. Después de la ceremonia, la levantaron en volandas, ovacionándola. Otras familias nos miraban como si estuviéramos locos, pero no me importaba.

Lo que pensaba era: «No podéis entender lo que este logro significa para esta familia».

En 2015 estaba de visita en casa de mi hija celebrando el primer cumpleaños de mi nieta y disfrutando de la alegría de ser abuela, cuando vi la foto de un policía turco que estaba sacando del mar Egeo el cuerpo inerte de un niño sirio de tres años.

Me impresionó profundamente.

Leí que el padre del niño, Abdullah Kurdi, era el único miembro de la familia que había sobrevivido. Él, su esposa y dos hijos habían llegado a Turquía procedentes de Siria y allí habían pagado a unos traficantes para que les llevaran a Grecia, pero la embarcación había volcado en la costa turca.

Cuando leía sobre los miles de refugiados que estaban saliendo de Siria me di cuenta de que era la mayor crisis humanitaria que había presenciado en mi vida. Y que tenía que hacer algo.

Ese mismo día gugleé «refugiado» y «voluntario» y encontré Church World Service (CWS), una organización confesional que tiene un programa de reasentamiento en mi comunidad, Lancaster, Pensilvania. Era la primera vez que oía hablar del CWS.

Cuando volví a casa después de ayudar a mi hija, tuvimos una pequeña conversación familiar. Yo trabajaba a jornada completa, mi esposo viajaba por trabajo y teníamos dos hijos adolescentes en casa. Yo sabía que si me apuntaba como voluntaria, no lo podía hacer al margen de mi familia. Mis hijos sabían que esto podría significar quedarse sin el último iPhone porque la familia a la que ayudáramos quizá necesitara comida. Todos estuvimos de acuerdo en que esto era importante. Todos querían participar.

Marie Claire y su familia fueron los primeros refugiados que nos presentaron cuando nos apuntamos como voluntarios ese mismo mes. Todo lo que sabía era que los estaban reasentando desde Zambia y que eran de la República Democrática del Congo. Aún no sabía que habían pasado tres años huyendo por la selva de la guerra en el Congo. Por fin llegaron a la vecina Zambia, donde pasaron muchos años, buena parte de ese tiempo en campos de refugiados, antes de que se les concediera asilo en Estados Unidos.

No pude hablar con ellos antes de su llegada, pero quería comprender en la medida de lo posible las circunstancias de las que huían, así que hice mi propia investigación. Me enteré de que las guerras congoleñas, una extensión de la violencia entre tutsis y hutus en Ruanda que se propagó a la República Democrática del Congo a principios de los noventa, fueron responsables de la muerte de unos cinco millones de personas, más que toda la población de Nueva Zelanda. Más de cuatro millones están desplazadas internamente y hay unos 445.000 refugiados congoleños en otros países. Conocer las cifras y la historia no era lo mismo que comprender, pero me ayudó a rellenar algunas lagunas.

Mi tarea era recibirlos en el aeropuerto, llevarlos a su nueva casa y ayudarles a instalarse. Me cogí un día libre en el trabajo porque llegaban a mitad de la semana. Mi marido estaba en Texas y mis hijos en el colegio, así que solo quedábamos algunos voluntarios del CWS y yo misma.

Cuando conocí a la familia en el aeropuerto, me asombró lo delgados que estaban la mayoría. Eran un grupo de catorce personas que comprendía a su padre, que tenía sesenta y un años; su esposa, Uwera, la madrastra de Marie Claire, y su familia extensa: Marie Claire, su hermana Naidina, de veintiún años, su hermano Amor, su esposa y sus tres hijos de nueve, cinco y dos años. Los niños especialmente estaban tan demacrados y tenían tan mal aspecto que me preocupé. No obstante, todos se habían puesto su mejor ropa; los hombres, pantalones y camisas de vestir, y las mujeres, vestidos africanos de vivos colores, con el pelo envuelto en pañuelos a juego o peinado en elaboradas trenzas con cuentas. Cuando les elogié, Naidina dijo: «Queríamos causar una buena impresión en nuestro nuevo país».

Marie Claire era muy tímida y cautelosa. Apenas me miró cuando me saludó.

Mientras les llevaba a su nueva casa, que el CWS les había encontrado en un barrio modesto de Lancaster, la familia permaneció en silencio, observándolo todo. Entre tanto, yo no podía evitar cierta preocupación cuando pasábamos cerca de casas que necesitaban una mano de pintura, tenían el porche hundido o basura en la calle. Me preguntaba qué estarían pensando cuando Naidina dijo: «¡Oh, esto es tan precioso!». Fue un alivio escuchar la esperanza y el entusiasmo en su voz.

Nos detuvimos ante la casa adosada de cuatro plantas, y respiré profundamente. Mientras recorríamos el edificio me fijé en las cosas que había que arreglar, como un agujero en el techo de la cocina, por el que caía el agua del baño del piso de arriba, y las paredes llenas de manchas que había que pintar. Ninguna de las ventanas tenía persianas y el pequeño jardín trasero estaba lleno de malas hierbas. Solo había un cuarto de baño para catorce personas. Las ventanas del ático no se abrían: ¿y si había un fuego y tenían que salir por allí?

Sin embargo, la familia de Marie Claire no vio ninguno de los fallos que me preocupaban a mí. La casa les encantó. Estaban completamente felices. En Zambia no tenían agua corriente, y mucho menos un cuarto de baño. Se iluminaban con velas. De hecho, les apabullaba lo grande que era la casa. Yo me di cuenta en seguida de mi privilegio: donde yo veía tantos problemas, ellos veían oportunidades.

Mostré a las mujeres cómo usar el horno y la nevera, pues nunca habían visto ninguno. También les mostré a todos cómo usar el inodoro y la ducha. Mientras los niños corrían por las escaleras y peleaban por quién se quedaría con cuál de las cinco habitaciones, yo me enteré de que era la primera vez que volaban y que ninguno había comido en dos días porque la comida del avión les resultaba muy extraña.

Fue duro para mí dejarles aquel día. Estaban abrumados y yo no sabía en qué más podía ayudarles. Les invité a cenar en mi casa ese fin de semana.

Después de mostrarles mi casa, Naidina y algunos otros no dejaban de decir: «¡Tenéis tanta agua!». Al principio, yo estaba confusa, pero me di cuenta de que se refería a nuestros grifos. Se quedaron de piedra al ver que solo había que girarlos y el agua aparecía. En su nueva casa tenían un cuarto de baño, mientras que yo tengo varios. Otra cosa que les dejó atónitos. Me dijeron que en Zambia tenían que caminar tres días para conseguir agua.

En otra ocasión que vinieron por la tarde, hice palomitas. Se congregaron delante del microondas asombrados: les parecía mágico. Me pidieron que lo volviera a hacer, y yo coloqué sillas y taburetes alrededor del microondas para que lo vieran.

Todo les resultaba nuevo y precioso. Era una bendición ver mi vida a través de sus ojos.

Marie Claire se fue abriendo poco a poco y yo empecé a ver su determinación. Dijo que quería ir a un instituto ame-

164

ricano aunque ya casi tenía diecinueve años y era más mayor que los alumnos de más edad. Los administradores de nuestro instituto local no estaban seguros de que ella pudiera superarlo. Les preocupaba que sus estudios en Zambia no fueran equivalentes a nuestra carga lectiva. Además, su inglés era básico.

Marie Claire le dijo al responsable de admisión: «Arriésguese y crea en mí».

Y él debió de ver la misma determinación que yo vi, porque se arriesgó.

Yo estaba nerviosa cuando Marie Claire empezó a ir al instituto ese enero. Mi hijo iba al instituto público de la zona y le había costado trabajo hacer amigos en su primer año allí. Pero Marie Claire no estaba interesada en hacer amigos ni en entrar en clubes o equipos. Había concentrado todas sus energías en la educación y dedicaba todo su tiempo libre a estudiar y a consultar a su tutor inglés. Ahora sé que Marie Claire tiene muchas posibilidades de éxito en lo que se proponga por esa capacidad de concentrarse. Ella manifiesta sus propias realidades.

Aunque Marie Claire y su familia verdaderamente celebran la vida, también les he visto en momentos muy bajos. Regalé unos collares a Marie Claire y a Naidina. Quería darles algo especial para que lo conservaran. También quería que tuvieran algo que pudieran llevar siempre, saber que yo estaba allí para ellas en cualquier circunstancia. Se emocionaron tanto que empezaron a llorar sentadas en el sofá de mi casa. Al principio, pensé que eran lágrimas de felicidad, pero enseguida vi que mi regalo les había afectado en lo más hondo. Les pregunté qué ocurría.

Marie Claire fue la primera en hablar: «Esto es algo tan hermoso, todo esto. Estar aquí contigo, en Estados Unidos. Pero me gustaría que mi madre estuviera aquí para vivirlo con nosotros».

Rara vez hablaban de su madre, Furaha, pero para entonces yo conocía las circunstancias de su muerte y sabía que las dos la habían presenciado.

Entre sollozos, Naidina apenas pudo pronunciar estas palabras: «Ella sacrificó su vida para que nosotros pudiéramos tener esta vida».

Aquel día la congoja me hizo sentir un dolor en el pecho: yo deseaba que su madre hubiera estado allí también. Deseaba que hubiera visto qué hijas tan valientes, fuertes, bondadosas, decididas y hermosas había criado. Pero también sé que el espíritu de la madre sigue vivo en cada uno de sus hijos, especialmente en Marie Claire. Es imparable. Debe de tener la determinación y la energía de su madre, así como su enorme humildad.

Ese hondo pesar es algo que acompaña siempre a estas jóvenes. En cada triunfo, su felicidad se ve contrarrestada por el trauma que las trajo aquí. Me imagino que esto es así con todos los refugiados: la paradoja de sentir agradecimiento por una nueva vida que se basa en la pérdida dolorosa de la anterior.

Marie Claire se refirió a ese dolor cuando Malala la invitó a hablar en la sesión juvenil de la Asamblea General de las Naciones Unidas en septiembre de 2017. Yo me encontraba en Nueva York para asistir al evento y estaba sentada en la sala, sonriendo con orgullo cuando Marie Claire compartió su experiencia con una distinguida multitud de líderes y diplomáticos, entre los que se encontraba el presidente francés, Emmanuel Macron.

Tranquila y segura en el podio, Marie Claire empezó a contar su historia.

«Una noche, rebeldes armados irrumpieron en nuestra casa con el objetivo de matar a alguien. Vimos cómo asesinaban a nuestra madre. Ella se sacrificó para protegernos a mis hermanos y a mí». En este momento el silencio se cortaba en la sala. Entonces más que nunca deseé que su madre estuviera viva para ver a su hija captar la atención de todos esos asistentes. Pero, por supuesto, esta es la ironía: Marie Claire estaba allí, en la ONU, por el amor y el sacrificio de su madre.

Furaha también debería haber sido la que acompañara a Marie Claire a la universidad. La que estuviera allí cuando se decidió por la especialidad de enfermería. Debería haber asistido a la boda de Naidina, que se casó con otro refugiado que conoció en Zambia y estaba viviendo en Utah. Se reencontraron y asistimos todos al paseo nupcial y a la boda, otro hito.

Ahora, siempre que estoy con Marie Claire o con cualquiera de sus hermanos, me presentan como su mamá americana. Yo me siento privilegiada y honrada de tener a cada uno de ellos en mi vida. El orgullo que despierta en mí ese título a veces es abrumador.

Cuando Marie Claire llegó a Estados Unidos era muy reservada y cautelosa, pero vi en su interior una chispa que solo estaba esperando prender. Hubo una evolución. Siempre fue decidida y centrada, pero pude ver cómo, con apoyo y ánimos, adquiría cada vez más confianza. Ella no solo aprovecha las oportunidades sino que también las manifiesta. Hace solo tres años esta joven tenía un futuro incierto: ahora es valiente e imparable, capaz de ejercer un impacto real en el mundo. Quiere regresar algún día a Zambia como enfermera y activista para ayudar a otros refugiados.

Sé que lo hará.

Ajida

Por la noche, caminábamos

•

Myanmar → Bangladesh

Desde agosto de 2017 miles de rohingyas, una minoría musulmana en la mayoritariamente budista Myanmar, han huido a la cercana Bangladesh. Los rohingyas llevan mucho tiempo sufriendo persecución, pero entonces comenzó una nueva ola de violencia contra ellos. Huían de soldados y extremistas de Myanmar que se autodenominan budistas, que incendiaban las aldeas, violaban mujeres y asesinaban a los rohingyas, que viven principalmente en el estado occidental de Rakhine, en la frontera con Bangladesh. Según la ONU, fue el desplazamiento humano más rápido desde el genocidio de Ruanda en 1994.

En septiembre de 2017 hablé contra el trágico y vergonzoso trato a los musulmanes rohingyas en Myanmar. Poco después, conocí a Jérôme Jarre en la conferencia de Goalkeepers, un evento patrocinado por Bill y Melinda Gates, que celebra el avance hacia la eliminación de la pobreza y las enfermedades en todo el mundo. Jérôme es un activista humanitario francés que creó el Ejército del Amor con varios artistas activistas amigos suyos para movilizar a los jóvenes a fin de responder a las nuevas crisis mundiales de una forma más directa. *Utilizando las redes sociales para recoger dinero, ayudaron a los afectados por la sequía somalí de 2017. Después, el Ejército del Amor recaudó fondos tras un devastador terremoto en México y, por último, ha dedicado sus esfuerzos a Myanmar.*

Jérôme y el Ejército del Amor han llevado a cabo un trabajo inspirador para ayudar a los rohingyas. Con frecuencia pienso en las personas que ayudan en todo el mundo: gente como Jennifer, que hizo misión suya ayudar a Marie Claire y a su familia. Pero también en los traductores y en quienes organizan las recogidas de fondos, donan cinco dólares o cinco horas de su tiempo para informar del problema... Todo es importante. Todo ayuda. A veces el mero hecho de ser visto y reconocido basta para mantener los ánimos. El trabajo de Jérôme ha sido de gran ayuda para movilizar a gente de todo el mundo y unirla en apoyo de comunidades que lo necesitan.

Los rohingyas sufren persecuciones desde los años sesenta. El primer campo de refugiados se creó en Bangladesh en 1990, y desde entonces el número de refugiados que alberga no ha dejado de aumentar hasta los más de novecientos mil, que viven en la tierra de nadie de unas montañas inhóspitas entre Myanmar y Bangladesh, en el paso de los monzones y proclives a inundarse. Cuando los rohingyas llegan allí no pueden trabajar fuera del campo ni abandonarlo. Bangladesh les permite vivir en ese territorio, pero no integrarse en su sociedad. Muhammed, un rohingya que trabaja en el Ejército del Amor como encargado de proyectos, lo describió como una prisión abierta.

Muhammed llegó a Bangladesh en 1992, cuando tenía cuatro años. Ahora está casado y su hijo ha nacido en ese limbo. Pero aprendió inglés por su cuenta, lo que le ayudó a conectar con el Ejército del Amor. Aunque no he visitado Bangladesh, yo sabía que quería incluir una historia de una mujer rohingya en este libro. Y sabía que Jérôme y el Ejército del Amor me ayudarían. Los fondos que han recogido para los rohingyas desplazados por la violencia les han empoderado y permitido construir cuatro mil refugios y excavar ochenta y un pozos profundos. Esos fondos también costean el trabajo de tres mil rohingyas que realizan tareas que van desde la construcción hasta la limpieza de los campos, la confección de ropa o servir de intérpretes, como Muhammed, que ayudó a Ajida a compartir su historia, y la propia Ajida.

Malala

Cuando por fin nos encontramos en el campo, tenía dos sensaciones: alivio y confusión.

Estaba muy feliz de haber conseguido llegar a Bangladesh. Mi esposo y mis hijos estaban vivos. Parecía un milagro.

Pero el campo no era lo que había esperado. Solo era un gran cielo abierto, sin casas, solo tiendas de campaña. Nos dieron una lámina de plástico y varios postes de bambú. Mientras montábamos nuestra tienda de plástico, pensaba: «Podría ser peor. Podríamos estar muertos».

———————

Me crie en una pequeña aldea en Noapara, en Myanmar, en el pasado conocida como Birmania. Mi marido y yo nos casamos por amor. Nos conocíamos de toda la vida y nos dimos cuenta de que nuestra compenetración era total. Al final, nos enamoramos. Compartir un amor verdadero hace mucho más fácil la convivencia. Muchos rohingyas se casan en matrimonios concertados, pero entonces no conoces a la persona ni sabes si va a funcionar. Mi marido y yo éramos afortunados. Yo tenía quince años cuando me casé con él y ahora tenemos tres hijos de nueve, siete y cuatro años.

Hace casi dos años, hacia medianoche, nos despertó un estruendo de disparos. El ejército y la policía habían rodeado nuestra aldea y estaban prendiendo fuego a todas las casas. Habíamos oído que el ejército iba por las aldeas violando a las mujeres y las niñas y matando a los hombres. Aterrorizados ante el peligro de que fueran a hacernos lo mismo, cogimos a nuestros hijos y corrimos hacia el bosque. Tuvimos la fortuna de poder escapar. Más tarde nos enteramos de que el hermano de mi marido fue asesinado junto con muchos de nuestros vecinos.

Nos quedamos en el bosque varios días. Pensábamos que podríamos regresar cuando el ejército se hubiera marchado, pero nos enteramos de que no era posible. Habían destruido todo y asesinado a mucha gente.

Entonces supimos que el ejército no se había marchado de la zona. Si volvíamos a la aldea, nos matarían a todos.

Lo único que podíamos hacer era huir.

No teníamos comida ni nada, solo la ropa que llevábamos puesta. Mis hijos lloraban de hambre. Les di hojas verdes que cogí en la jungla. No había nada más. Estábamos con un grupo de más de trescientas personas de varias aldeas: era más seguro ir juntos. Así que nos pusimos de camino a Bangladesh.

Sabíamos que Bangladesh era nuestro país vecino y que era musulmán.

Si nos quedábamos en Myanmar, moriríamos. No sabíamos qué nos esperaba en Bangladesh, pero al menos tendríamos alguna posibilidad de vivir.

———————

Nuestro grupo trazó un sendero a través de la jungla y solo viajábamos de noche. Si hubiéramos caminado de día, nos habrían asesinado.

Así que de día descansábamos. Por la noche, caminábamos.

Yo llevaba a hombros a mi hijo de dos años. No podía seguir nuestro ritmo. En un momento determinado mi marido se puso muy enfermo. Por el camino vimos muchos cadáveres: rohingyas que habían sido asesinados a tiros o a machetazos por los extremistas budistas que nos querían expulsar del país. Yo intentaba evitar que mi hijo los viera tapándole los ojos, pero no podía proteger a mis hijas. La muerte estaba por todas partes. No teníamos más opción que seguir caminando o seríamos los siguientes.

Al cabo de nueve días por fin llegamos a la frontera y cruzamos un río para entrar en Bangladesh. Pagamos a un hombre de allí para que nos llevara en su bote, que era pequeño —solo cabían diez personas— y sin motor, por lo que tenía que remar.

Por suerte, mi familia permaneció unida. Teníamos mucho miedo porque ninguno de nosotros sabía nadar. Tardamos cuatro horas en alcanzar el otro lado.

Cuando llegamos a Bangladesh tuve que reprimir las lágrimas. Lo habíamos conseguido. Habíamos dejado atrás la amenaza del genocidio. Tardamos tres horas en llegar a pie al campo. Había tantos rohingyas huyendo que solo teníamos que seguir a los demás. Éramos una multitud de extraños caminando juntos hacia un destino desconocido común. Pero el alivio que sentía no disipaba el miedo. No sabía qué esperar en esta nueva fase.

Esto es lo que encontramos al llegar: un gran espacio abierto y demasiada gente. En el mismo mes que nosotros llegaron más de ocho mil personas a campos que ya estaban abarrotados. La primera noche dormimos bajo una lámina de plástico. Al cabo, mi familia recibió una tienda, pero entonces llegaron los monzones y como la zona en la que nos habíamos instalado corría peligro de inundarse, nos trasladaron con otros cientos de personas a otro campo.

A este nuevo campo solo se puede llegar subiendo una montaña a pie, no hay carretera. La más próxima está a treinta minutos andando. Esta zona, donde hemos construido una cabaña de bambú, está azotada por el viento y expuesta a los elementos. No nos podemos mover de este sitio porque Bangladesh no permite a los rohinghyas salir de los campos. Si lo intentáramos, nos detendrían y devolverían aquí. Así que no tiene sentido.

Nos arreglamos lo mejor que podemos. El gobierno bangladesí nos proporciona arroz y lentejas, así que me hice un horno de arcilla; por lo menos, puedo cocinar para mi familia. Mi madre me enseñó y me reconforta un poco hacer algo familiar en este sitio. Aunque las condiciones son difíciles, al menos mi marido y yo tenemos trabajos. Cuando el Ejército del Amor se enteró de que hacía hornos, me contrató para fabricarlos y donarlos a otros refugiados. Desde entonces he hecho más de dos mil hornos. Mi marido también consiguió un trabajo en el equipo de limpieza a través del Ejército del Amor. La vida aquí es dura. Mis hijos van a un centro de formación temporal, pero no se puede llamar escuela porque no hay libros. Echan de menos su casa, y mi hija mayor echa de menos a nuestro gato. Ella es quien lo está pasando peor. Solo tenía siete años cuando escapamos pero era lo bastante mayor como para comprender por qué.

¿Sabe el mundo que desde hace mucho tiempo se está llevando a cabo un genocidio contra los rohingyas? ¿Sabe por qué? ¿Puede ayudarnos alguien?

Comprendo que el gobierno bangladesí quiera que volvamos a Myanmar, pero nosotros no queremos marcharnos. Allí no nos queda nada más que tristeza. Mi pueblo está aquí. En este campo. Comparte mi historia y mi dolor. Me conoce. ¿Por qué iba a marcharme?

Solo podría volver a mi hogar si mi familia tuviera garantías de que iba a ser tratada con dignidad. Mi pregunta es: ¿cuándo va a ocurrir eso?

Foto de la infancia de Sabreen (izquierda) y Zaynab (derecha).

Zaynab visitando la Estatua de la Libertad en un viaje a Nueva York.

Cuando Malala (izquierda) recibió el Premio Nobel de la Paz en 2015, llevó con ella a varias amigas, entre ellas a Muzoon (derecha).

María bailando cuando conoció a Malala.

Jennifer (centro) con Naidina (izquierda) y Marie Claire (derecha).

Marie Claire (derecha) con sus dos familias.

Marie Claire con su orgulloso padre, a quien considera su modelo.

Marie Claire y Najla en Nueva York para hablar ante la Asamblea General de la ONU.

Ajida relata en el campo de Bangladesh cómo construía hornos y los distribuía entre las familias de refugiados.

Ajida y su hijo en su hogar provisional.

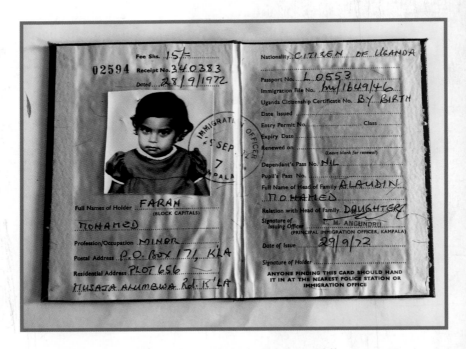

Tarjeta de ciudadanía ugandesa de Farah, que llevó consigo en su viaje de regreso.

Malala tomó esta foto del valle de Swat desde el helicóptero cuando volvió a Pakistán. «Para mí, el lugar más hermoso de la tierra», escribió en Twitter.

Malala y su familia en su casa de Mingora por primera vez
desde el 9 de octubre de 2012.

En el dormitorio de la infancia de Malala (con sus premios
escolares guardados en la vitrina).

Farah

Esta es mi historia

•

Uganda→ Canadá

Conocí a Farah en una entrevista de trabajo. Era una de las mujeres con las que estábamos hablando para ser la nueva CEO del Malala Fund. Cuando la contratamos, le dije en broma que me había gustado porque era casi tan bajita como yo. Pero, por supuesto, la razón por la que me gustó es que es inteligente, tenía experiencia en organizaciones sin ánimo de lucro, además de en trabajos gubernamentales, y cree en la causa de la educación de las jóvenes tanto como yo. También tiene una fuerza tranquila que me impresiona.

En aquellos momentos no sabía que Farah era una refugiada: es canadiense nacida en Uganda de familia india. Rara vez habla de su pasado, pero la suya es una historia importante. Las historias de refugiados que conocemos muchas veces son de personas que todavía están en peligro, que siguen luchando. Damos por sentado que una vez encuentran un nuevo hogar, ahí se acaba la historia. Con frecuencia es el principio de una nueva historia.

Conocer la experiencia de Farah me hizo preguntarme cuántos refugiados que han vuelto a empezar dudan antes de contar por lo que han pasado. Me hizo pensar cómo podemos mirar a una perso-

na pero no saber absolutamente nada sobre ella. Y ahora que conozco a familias desplazadas con niños pequeños me pregunto cómo crecerán esos niños y qué les contarán.

Como muchos jóvenes desplazados, Farah creció con un peso sobre sus hombros que no llegaba a comprender y ahora trabajamos juntas cada día para ayudar a otras personas a erguirse y desprenderse del peso que soportan.

Malala

Me acurruqué en el asiento del vuelo que me llevaba de Tanzania a Entebbe, Uganda. El avión iba atestado de gente, o quizá solo me lo pareció porque era pequeño. Por suerte, tenía un asiento de ventanilla. No recuerdo si iba lleno de turistas o de ugandeses, pero sí sé que a pesar de haber nacido en Uganda yo no me sentía perteneciente a ninguno de los dos grupos. Debí de parecer nerviosa, porque el individuo que estaba a mi lado me preguntó si me encontraba bien. Le di las gracias y le dije que sí.

Intenté calmar mi corazón desbocado cerrando los ojos y respirando profundo. Es cierto que estaba nerviosa y que quizá tenía un poco de miedo. Tenía treinta y seis años y era mi primer viaje al sitio en el que nací y del que me vi obligada a huir.

Eso fue en 1972. Ahora era 2006 y acababa de despedirme de una de mis mejores amigas después de ascender al Kilimanjaro juntas el día anterior. Había sido una experiencia transformadora para las dos. Ella volvía a Canadá, el único lugar en el que me he sentido en casa. Por mi parte, yo iba a Uganda, mi país natal y del que no guardaba ningún recuerdo.

———————

Tenía dos años cuando mis padres huyeron de Kampala conmigo y con mi hermana mayor, Amina, que tenía tres años y medio. No me acuerdo de nada de la partida ni del viaje de once mil kilómetros en avión hasta nuestro nuevo hogar. Y mis padres nunca nos hablaron de ello. De hecho, no me enteré de por qué nos habíamos marchado hasta que tuve más de veinte años. De niña, todo lo que sabía era que éramos de «lejos», lo que significaba que no había nacido en Canadá.

No es que mis padres no estuvieran orgullosos de ser ugandeses. Lo estaban y siguen estándolo. Yo sabía que eso significaba que los domingos comías matoke, una clase de banano, con curry, así como paya, un estofado de patas de cabra. Nunca negamos que fuéramos musulmanes o africanos de origen indio. Nada de eso. Pero lo que no entendí hasta que estuve en la universidad es cómo o por qué acabamos en Canadá. Mis padres nunca utilizaron la palabra «refugiado» para describirnos. De hecho, en casa apenas se utilizaba.

Yo sabía que había ocurrido algo terrible, algo de lo que mis padres no hablaban nunca. También sabía que a mi madre le entristecía. Sabía que ella y mi padre echaban de menos lo que tenían en su antigua vida, pero ignoraba la historia que había detrás. Mis padres habían intentado protegernos a mi hermana y a mí de toda la tragedia, así como de la política.

Pero si escuchabas a los adultos en nuestras reuniones familiares —algo que yo hacía—, podías captar cosas.

Una cosa estaba clara: mi familia no se marchó de Uganda por decisión propia.

Desde muy pequeña para mí estaba claro que yo era una extraña.

No sé cuántas veces gente que no conocía, sobre todo niños mayores que yo, me llamaron «paki» en la infancia. Para ser honesta, no sabía lo que significaba. Cuando alguien me explicó que era un término para referirse a una persona de Pakistán, no entendía por qué se decía despectivamente. Esta clase de comentarios mezquinos no eran algo excepcional. A mi hermana y a mí una vez nos llamaron cerdos, lo que es irónico porque somos musulmanas y por tanto no comemos cerdo. Mi padre nos dijo que cerdo significa «niñas muy inteligentes»*.

---

* *Pretty inteligent girls*, cuyas iniciales forman en inglés la palabra *pig* (cerdo). [*N. de la T.*]

Al cabo de un tiempo, nos mudamos a Burlington, donde se suponía que había más diversidad. Pero yo seguía llamando la atención. Recuerdo con toda claridad que un niño giró en su bici de equilibrio para pasar a mi lado y gritarme: «Márchate a tu país». Todavía siento no haber tenido el valor de responderle: «Estoy en mi país».

Este *bullying* (aunque entonces no lo llamábamos así) siempre era doloroso, pero no tanto como cuando mi amiga y vecina que vivía en la casa de al lado me invitó un fin de semana al chalet de su familia. Yo estaba entusiasmada porque mis padres solían ser estrictos y sobreprotectores; nuestros amigos siempre eran bienvenidos en casa, pero a mis padres no les gustaba la idea de que nos quedáramos a dormir en casa de otra gente. Creo que se daban cuenta de la ilusión que me hacía y por eso me dejaron.

Llegué con mi amiga y su padre. Estaba muy contenta de estar allí, pero de inmediato me di cuenta de lo despreciativa que era conmigo la madrastra de mi amiga. Entonces, dijo: «oye, tú», y me di cuenta de que se refería a mí. Incluso más humillante fue que el padre de mi amiga se disculpara y me dijera que no estaba acostumbrada a tratar con niños que no fueran canadienses. Yo había crecido en Canadá. Era tan canadiense como cualquiera de los que estaban en aquella habitación. Resultaba tan desagradable que mi amiga y yo nos marchamos pronto.

Incluso a día de hoy, cuando oigo a alguien decir «oye, tú», mi mano izquierda empieza a cerrarse en un puño. Saca el «¿cómo te atreves?» que hay en mí.

Aunque mis padres hablaban seis lenguas —guyaratí, kutchi, hindi, urdu, swahili, mi primera lengua, e inglés—, con mi hermana y conmigo solo utilizaban el inglés. Ahora sé que creían que aprender la lengua de tu país anfitrión es la mejor forma de ser aceptado y empezar a sentirte como si fuera el tuyo. Pero no se detuvieron ahí: somos musulmanes, y sin embargo celebramos la Navidad, con árbol, regalos y pavo incluidos. También lo hacíamos en Hanukkah y otras fiestas no musulmanas, porque mis padres adoptaron todo lo que pudieron de la vida canadiense.

Me educaron en la convicción de que éramos afortunados de vivir en Canadá y que, en lo que nos dedicáramos de mayores, teníamos que restituírselo al país. Mis padres decían que éramos «afortunados» porque el gobierno canadiense había sido muy hospitalario con los refugiados de Uganda. Mi madre afirma que nunca se sintió como una extraña en Canadá, que la gente fue amable, generosa y hospitalaria.

En mi primer año en la Queen's University (donde estudiaba con una beca) me uní a un grupo de Paz para los Ugandeses. Ni siquiera recuerdo cómo encontré este grupo o cómo ellos me encontraron a mí, pues no es que entonces hubiera Facebook. Sí recuerdo que lo dirigía un ugandés negro que estaba decidido a organizar un viaje a Uganda para restaurar la paz. Éramos una docena más o menos, una mezcla de ugandeses de tez negra o más clara. Cuando dije a mis padres que estaba pensando volver a Uganda con este grupo para protestar contra la corrupción, el mal gobierno, las masacres, etc., se mostraron totalmente contrarios.

Como hasta aquel momento habían apoyado sin reservas todas mis decisiones, esto me asombró. Me enfadé con ellos. Entonces fue cuando por fin compartieron conmigo por qué se habían marchado del país.

En 1972 Idi Amin, el presidente de Uganda de 1971 a 1979, decidió que los ugandeses asiáticos ya no eran bienvenidos en el país. La ciudadanía de mi familia fue revocada junto a otras cincuenta mil. El decreto de Amin nos daba noventa días para abandonar el país, y las cosas cambiaron rápidamente. Mi madre se dio cuenta de que todo lo que tuviéramos en el banco sería confiscado y fue a sacar sus joyas. Dos soldados la siguieron a casa.

Oyó un golpe en la puerta y, cuando fue a abrir, vio a los soldados, que la tiraron al suelo, la golpearon y le robaron las joyas. Mientras se marchaban, la amenazaron con matarla si decía algo.

Ahora mi madre era una mujer marcada.

Al día siguiente mis padres fueron a la oficina de inmigración canadiense y pusieron en marcha su plan para salir del país. Unas semanas después, mi familia fue a Entebbe desde Kampala en autobús. Nos permitieron un bulto por persona.

Llegamos a Montreal por la noche y fuimos en autobús a un campo del ejército. Allí nos ofrecieron chocolate caliente, té y comida. Entonces nos llevaron a los barracones, donde dormimos en una habitación.

Al día siguiente nos llevaron a la oficina de inmigración y nos dijeron que viviríamos en una ciudad llamada Saint Catharines, en Ontario.

Durante años no comprendí lo doloroso que debió de haber sido para mis padres abandonar Uganda, ni a cuánto habían tenido que renunciar. Ahora sé que procedían de familias acomodadas y que habían estudiado en Inglaterra, donde nació mi hermana. Entonces volvieron a Kampala, donde nací yo en 1970. Realmente no me puedo imaginar lo estresante que debió de ser para una joven madre ser expulsada de su país bajo amenaza de violencia para tener que marcharse a otro en el que apenas conocía a nadie, sin saber dónde iba a vivir ni cómo iba a mantener a su familia, o si sería bien recibida, haría amigos, encontraría una comunidad…

Pero no había más opciones.

———————

Me educaron para que fuera independiente y no viviera con miedo, pero también para que respetara a mi familia. Todavía a los dieciocho años mis padres seguían ejerciendo una poderosa influencia sobre mis decisiones, pero a pesar de su negativa a apoyar mi deseo de volver a Uganda con este grupo, yo no lo descarté. Al cabo, el grupo se disolvió, junto con cualquier plan de regresar. Recuerdo la frustración que sentí y que pensé que nunca regresaría.

Mis padres estaban aliviados. Y cuantas más cosas sabía sobre lo que ocurrió en Uganda —a mi familia y a miles de otras familias como la nuestra—, mi actitud pasó a ser: ¿Cómo es posible que algo así le ocurriera a mi familia, y a todo el país? Cuanto mayor era, más me indignaba. Empecé a comprender por qué mis padres me protegían de la verdad sobre el lugar del que procedíamos: era demasiado doloroso.

Tenía treinta y seis años cuando una amiga me desafió a subir al Kilimanjaro con ella por razones caritativas, y accedí. Para entonces, había trabajado para un viceministro del gobierno, el ministro de justicia, el ministro de sanidad y el vice primer ministro de Canadá. Fui portavoz política durante el brote del síndrome respiratorio agudo grave (o neumonía atípica) y la respuesta antiterrorista de Canadá al 11-S. ¡Imagina a Farah Mohamed, portavoz del gobierno canadiense y, a la vez, refugiada de una parte del mundo que en la mente de muchas personas es un vivero de terroristas! Me esperaba un nuevo tipo de desafío. Me di cuenta de que este viaje me llevaba muy cerca de mi país natal. Parecía una señal o, al menos, una oportunidad.

El ascenso estaba previsto para enero, pero mi amiga tuvo que desistir por problemas de salud, así que llamé a otra amiga y le dije:

—¿Qué vas a hacer en enero?

—No lo sé —me respondió.

—Estupendo. Vamos a subir el Kilimanjaro.

Aquel diciembre, un mes antes de mi viaje, fui a ver a mis padres y les dije que volvía a Uganda. No les encantó la idea, pero, para entonces, el gobierno había invitado a exiliados ugandeses a regresar y reclamar su tierra y contribuir a la reconstrucción del país. Mi tío Amín estaba allí para ocuparse de las propiedades comerciales de mi familia. Mi hermana también planeaba un viaje a Uganda.

———————

Cuando me despedí del grupo con el que había ascendido al Kilimanjaro y tomé un pequeño avión para ir a Entebbe, estaba nerviosa, tenía un nudo en el estómago. Llevaba conmigo mi pasaporte canadiense, del que no me separo nunca. Pero también la tarjeta de ciudadanía ugandesa que tenía cuando salí del país con dos años. ¿Cuál me identificaba mejor?

Mientras el avión rodaba por la pista del aeropuerto ugandés, mi inquietud se disparó, empezando con ¿Tendría problemas para pasar la aduana? ¿Estaría ahí mi maleta? Las preocupaciones que tienes cuando te encuentras en un país extraño, pero este país no debería haber sido extraño para mí.

El oficial de la aduana llevaba uniforme militar. No me dijo nada ni yo a él. Normalmente, cuando voy a otro país intento aprender a decir «hola» y «gracias» en la lengua local. Así es como me educaron mis padres. Mientras sepas decir «hola», «gracias» y «por favor», todo irá bien. Pero me quedé allí paralizada. No dije nada. Ni siquiera le miré a los ojos, que es algo muy raro en mí.

Cuando pasé la aduana y vi a mi tío, contuve las lágrimas. Estaba tan aliviada que sentía cómo el estrés iba abandonando mi cuerpo.

Mi hermana ya estaba en Kampala. Había empezado a trabajar en un documental sobre el éxodo de nuestra familia. Esta era la primera vez que regresaba ella también, y aunque no había nacido allí, siempre había tenido mucho cariño a Uganda. Entrevistó a jefes del ejército; habló con personas que ahora viven en la antigua casa de mis padres; mi hermana es valiente. Sin embargo, yo tenía miedo de estar allí.

Aquella tarde pedí a mi tío que me llevara al hospital en que nací, la casa en la que vivían mis padres y los mercados donde compraban. Por lo que contaban mis tías y mi tío sobre su niñez, yo me había esperado algo… impresionante, y quizá hermoso. Pero después de lo que vi —y me cuesta trabajo admitirlo—, yo me encontraba desagradablemente sorprendida, disgustada y deprimida. Había visto pobreza antes, pero nunca como esta.

Toda mi vida había oído decir que Uganda era la perla de África, que era verde, exquisita y hermosa. Sin embargo, yo vi niños sobre montones de basura y edificios desmoronándose que parecían tener siglos de antigüedad, pero que nadie se había ocupado de mantener en buen estado. Los únicos olores eran los de la basura y el humo de los tubos de escape.

Todo aquello me entristeció mucho.

Me quedé un par de días, pero realmente no vi ni hice nada salvo visitar a otro tío que vivía a unas horas de distancia y tenía un vivero de rosas. Era un lugar hermoso, pero para mí ya era tarde para disfrutarlo. Todo lo que podía ver era destrucción y pobreza.

———————

Cuando regresé a casa en Toronto, fue incluso peor. Llegué a mi bonito apartamento en los muelles, en el centro de la ciudad, y fue ahí cuando me di cuenta: había pasado muchos años desde la universidad odiando a Idi Amin por negarnos nuestro país, pero ahora, sentada en mi balcón disfrutando del aire fresco, me sentía culpable y agradecida al mismo tiempo.

Era terrible pensar así. Yo sabía la suerte que tenía de vivir en Canadá. Aunque hubieran tardado muchos años en explicarnos por qué nos habíamos marchado de Uganda, mis padres sí se aseguraron de que entendiéramos lo afortunados que habíamos sido por mudarnos a Canadá. Yo lo llamo gratitud de refugiado. Pero también me indignaba que una persona pudiera decidir dónde podía o no podía vivir un grupo de gente.

En ese momento supe que necesitaba un cambio. Sabía que esas emociones que habían aflorado no iban a desaparecer. Dejé mi trabajo y empecé a buscar algo relacionado con mis sentimientos sobre Uganda. Así es como acabé trabajando para una mujer que me ofreció la posibilidad de crear una fundación en su nombre y dedicarme al empoderamiento de las niñas en países en desarrollo. A través de esta fundación creé un programa llamado G(irls)20 que acabó convirtiéndose en una entidad independiente y empecé a trabajar para ayudar a jóvenes y niñas; y esto me llevó a Malala.

Mis sentimientos sobre Uganda son complicados. Un tercio de mí sigue deseando hallar una forma de apoyar a las jóvenes en ese país. Otro tercio de mí se siente culpable por no haber crecido en Uganda. Y otro tercio está indignado por aquella expulsión y por las expulsiones que siguen produciéndose en todo el mundo. Todavía me esfuerzo por descubrir qué puedo hacer por el país en que nací. Aunque muchas veces me siento como si mi país se hubiera desentendido de mí, yo nunca me he desentendido de él.

Epílogo

Cuando salí del valle de Swat, Pakistán, el 9 de octubre de 2012, tenía los ojos cerrados. Desperté una semana después en la unidad de cuidados intensivos de un hospital de Birmingham, Inglaterra. El último recuerdo que tengo en el valle es haber estado sentada en el autobús del colegio, riéndome con mi amiga Moniba.

Incluso cuando empezó a gustarme mi nueva vida en Inglaterra, pasé años echando de menos mi hogar: mis amigas, mi habitación, mi escuela y los sonidos y olores de Mingora. No siempre los había apreciado. Al principio no sabía que no podría regresar. Y entonces, cuando me lo dijeron, no lo creí. No podía. ¿Cómo era posible que cuando ni siquiera estaba consciente hubiera perdido mi hogar, el mundo que conocía tan bien? Me lo habían robado con violencia y terror. En aras de la seguridad tenía que permanecer lejos de Pakistán.

Con los años, y los cambios en el clima político, pensé que quizá había llegado el momento de plantearse el regreso. Consideramos la idea y la respuesta seguía siendo no. Pero yo estaba decidida. Soy muy obstinada, y si existe alguna posibilidad, no paro hasta encontrarla.

———————

El 31 de marzo de 2018 volví a mi hogar en el valle de Swat y tuve la sensación de que el tiempo retrocedía. Mi familia y yo habíamos hecho las maletas y volado desde Inglaterra hasta Dubái, y de allí a Islamabad. De Islamabad al valle de Swat fuimos en helicóptero. Por primera vez en más de cinco años pude contemplar la belleza de mi valle a vista de pájaro: la interminable cadena de montañas, el follaje, los ríos. Para conservar aquel momento, y cómo me hizo sentir, lo guardé todo en la memoria y, por supuesto, en mi iPhone.

Me pregunté si mis padres habían percibido esta belleza sentados a mi lado mientras me evacuaban de Swat. Mi padre dijo: «No vimos ni el mar ni la montaña. Cuando tus ojos estaban cerrados, los nuestros también lo estaban».

El aire se arremolinó mientras aterrizábamos en el mismo helipuerto del que salí en camilla. Permanecimos en silencio.

El regreso a casa fue distinto para cada uno de nosotros. Atal, mi hermano menor, era muy pequeño cuando salimos del país. Guarda un recuerdo borroso del tiempo que vivió en Pakistán: ahora es un muchacho británico. Pero mi hermano Khushal, mis padres y yo sentimos una profunda emoción cuando bajamos del helicóptero y pisamos la tierra de nuestro valle. Mi madre lloraba de alegría. Yo me impregnaba de todo: la sensación del suelo bajo mis pies, la calidez del sol, el aire que me resultaba extraño y familiar al mismo tiempo.

Y entonces hicimos lo que yo había soñado pero temía que no volviera a ocurrir: fuimos a casa.

——————

Mi corazón se aceleró cuando pasamos por delante de los lugares que conocíamos tan bien: la casa de una amiga, las calles en las que mis hermanos y yo solíamos jugar, el camino a la escuela. No tardé en encontrarme en mi habitación con mi madre.

Cuando aquel día de 2012 no regresé a casa de la escuela, mi madre se preguntaba si yo volvería a ver mi habitación, si volveríamos a compartir un momento de tranquilidad en nuestra casa. El mero hecho de verme allí hacía a mi madre increíblemente feliz; vi en su semblante una paz que no había visto en años. Ahora viven en nuestra casa amigos de la familia, que tuvieron la amabilidad de asegurarse de que en mi cuarto todo estaba como cuando lo dejamos. Más tarde, mi madre dijo: «Malala salió de Pakistán con los ojos cerrados; ahora vuelve con los ojos abiertos».

Y mis ojos están muy abiertos. Veo lo afortunada que fui, lo afortunada que soy. Este viaje fue lo más excitante, memorable, hermoso y emocionante para mí y para mi familia. No fue fácil —hubo varios intentos fallidos y grandes decepciones—, pero pude volver a casa, aunque fuera por poco tiempo. Disfruté de una oportunidad que algunas personas nunca tendrán. Las historias de muchas de las jóvenes que aparecen en este libro todavía no están cerradas. Es probable que volver a casa se les antoje algo imposible, y quizá lo sea. Pero si es lo que quieren, espero que lo consigan.

———————

No solo no habíamos estado en nuestra casa sino que tampoco habíamos visto a nuestros amigos y allegados desde hacía mucho tiempo. Más de quinientos amigos y parientes vinieron a vernos en Islamabad, a recibirnos con abrazos y plegarias. Hicimos muchas fotografías y me encanta verlas ahora que estamos en Inglaterra. Pero mi mayor esperanza es que no pasen otros cinco años y medio antes de volver a ver sus rostros.

Pakistán ha cambiado desde que me marché. El crecimiento demográfico ha hecho que algunas zonas se congestionen. Swat tiene muchas más casas y habitantes que en 2012. Pero también hay más paz. Desde una ladera contemplé las montañas en las que los talibanes tuvieron acuarteladas sus fuerzas en nuestra región. Ahora solo había árboles y campos verdes.

No obstante, en mi país queda mucho trabajo por hacer, y aunque no vivo allí, sigue siendo mi país. Mi sueño es ver que todos los niños de Pakistán tienen acceso a doce años de educación gratuita, segura y de calidad, y trabajar para construir un gran futuro para nuestro país. En unos pocos años, el Malala Fund ha hecho un gran esfuerzo por la educación de las niñas en Pakistán con la apertura de la primera escuela secundaria para niñas en Shangla y el apoyo a activistas por la educación de las niñas en todo Pakistán.

No me marché de mi país por decisión propia, pero sí regresé por decisión propia. Que se me privara de una elección tan trascendental me ha hecho muy sensible a las opciones que tengo. Elijo alzar la voz por mis convicciones. Elijo hablar en defensa de otras personas. Elijo aceptar el apoyo de personas de todo el mundo.

Estuve desplazada y elijo utilizar los recuerdos de aquella época de mi vida para ayudarme a conectar con los 68,5 millones de personas refugiadas y desplazadas que hay en todo el mundo. Para verlas, ayudarlas, compartir sus historias.

Nota de la autora

Lo recaudado con las ventas de *Todas somos desplazadas* se empleará para apoyar el trabajo del Malala Fund en pro de la educación de las niñas. Todas las jóvenes y mujeres adultas* han recibido un honorario por compartir sus historias con Malala y con los lectores de este libro.

---

* Ni Farah ni Jennifer han recibido honorarios por sus aportaciones.

Agradecimientos

Yo no había planeado escribir este libro, pero los acontecimientos actuales hicieron que fuera imposible no escribirlo.
Muchas personas en todo el mundo me han ayudado a mí y
a mi causa, y estoy agradecida de que mi voz llegue tan lejos.

Primero, y ante todo, ha sido un honor que estas jóvenes
y mujeres hayan compartido sus historias conmigo y que me
permitieran compartirlas contigo. A través de mi activismo y
de mis libros anteriores he llegado a ver lo poderosas que son
las narraciones, y poder relatar sus historias al lado de la mía
ha sido un verdadero regalo.

Este libro se compone de varias partes distintas y han con-
tribuido a reunirlas muchas personas:

Philippa Lei, Farah Mohamed, Hannah Orenstein, Maria Quanita, Bhumika Regmi, Taylor Royle, Tess Thomas, McKinley Tretler y todo el equipo del Malala Fund presente y futuro (entre quienes están Eason Jordan, Meighan Stone y Shiza Shahid).

Socios del Malala Fund que facilitaron nuestro trabajo con muchas de las jóvenes del libro: Amira Abdelkhalek, Holly Carter, Anne Dolan, Stephanie Gromeck, Susan Hoenig y Jérôme Jarre (y Muhammed Zubair).

Liz Welch, que ayudó a llevar todas estas historias al papel, con independencia de la hora del día o de la noche que fuese en su zona horaria.

Farrin Jacobs, que quería publicar este libro tanto como yo. Gracias por todo el tiempo y la atención que le ha dedicado.

Karolina Sutton, mi agente literaria, que es pequeña pero impone.

Megan Tingley, Katharine McAnarney, Sasha Illingworth, Jen Graham y los demás miembros del equipo de Little, Brown Books for Young Readers; David Shelley, Jenny Lord, Katie Espiner, Sarah Benton, Helen Richardson, Tom Noble, Katie Moss y Holly Harley en Orion Books; Tanya Malott y Brandon Stanton.

Soy afortunada por tener una familia que me apoya, sin la que nunca habría reunido el valor para alzar la voz por aquello en lo que creo.

Las personas que he conocido en el Reino Unido han sido increíblemente amables —desde médicos y profesores hasta todos mis amigos— y me han ayudado a asentarme en este país.

Mi familia y yo tuvimos la fortuna de que ser acogidos en hogares cuando nos encontrábamos desplazados en Pakistán, y no fuimos los únicos: vecinos de las zonas limítrofes abrieron sus puertas a cientos de miles de personas que se habían visto obligadas a huir. Quienes recibieron a las personas desplazadas internamente del valle de Swat y quienes, como Jennifer y Farah, que están apoyando a refugiados y desplazados, ahora representan lo mejor de la humanidad. Gracias a todos ellos y a ti por escoger este libro y permitir así que las historias de Zaynab, Sabreen, Muzoon, Najla, María, Analisa, Marie Claire, Ajida y Farah no caigan en el olvido.

Cómo puedes ayudar

Los datos son abrumadores. De acuerdo con las cifras más recientes de ACNUR, más de cuarenta y cuatro mil personas se ven obligadas a huir de sus hogares cada día y en todo el mundo hay 68,5 millones de desplazados. De estos, cuarenta millones son desplazados internos y 25,4 millones son refugiados. Más de la mitad de esos 25,4 millones proceden de tres países: Sudán del Sur, Afganistán y Siria.

Por desgracia, el desplazamiento global no es un fenómeno nuevo, pero actualmente estamos experimentando la mayor crisis de refugiados de la historia. Desde la Segunda Guerra Mundial, en la que más de cincuenta millones de personas de toda Europa fueron desplazadas por la violencia, no había habido tantas personas que se vieran obligadas a abandonar sus hogares y sus países. Desde entonces, millones han afrontado crisis parecidas en situaciones de las que no siempre hemos sido conscientes.

Así que, ¿qué se puede hacer? Un buen comienzo es informarse. Hay muchos recursos en línea, incluidas fuentes de noticias fiables y el portal de ACNUR (unhcr.org), que proporcionan no solo datos sino también contexto. Organizaciones como el Comité Internacional de Rescate (IRC en sus siglas inglesas)*, el Fondo de las Naciones Unidas para la Infancia o UNICEF, el Tent Partnership for Refugees y Kids in Need of Defense (KIND, una organización con sede en Estados Unidos) están ahí para apoyar a las personas de países que están sufriendo crisis humanitarias.

Puedes ayudar donando dinero, por supuesto, pero también con tiempo y atención. Investigando las organizaciones que hay en tu comunidad, como hizo Jennifer, o comenzando una campaña propia, como Jérôme. Puedes participar en actividades de voluntariado, escribir cartas para dar a conocer los problemas, unirte a un grupo de apoyo a los refugia-

---

* La historia del IRC se remonta a Albert Einstein, que se marchó de la Alemania nazi y en 1933 pidió que se fundara una organización para ayudar a otros refugiados alemanes. «Casi estoy avergonzado de vivir en semejante paz mientras todos los demás luchan y sufren», escribió por aquellas fechas. La organización, llamada International Relief Association, se convirtió más tarde en el Comité Internacional de Rescate.

dos de una región concreta, o incluso crearlo, ayudar a un nuevo estudiante desplazado que está comenzando de nuevo. Haz lo que puedas. Ten presente que la empatía es la clave y que los actos de generosidad, ya sean grandes o pequeños, son importantes y contribuyen a curar al mundo de sus heridas.

Sobre las participantes

Zaynab es embajadora de la Juventud Inmigrante y Refugiada en Green Card Voices y forma parte del cuadro de honor de la Universidad de St. Catherine, donde estudia ciencia política, relaciones internacionales y filosofía. Quiere ser abogada de los derechos humanos internacionales y volver a Yemen cuando obtenga su grado en derecho. Su sueño es hacer del mundo un lugar pacífico mediante la ley, el apoyo activo a la paz y la justicia social.

Sabreen y su esposo viven en Bélgica y acaban de tener a su bebé, Zidane, por el famoso futbolista Zinedine Zidane. Está estudiando holandés y espera volver a la escuela para ser una mamá formada capaz de mantenerse a sí misma y a su hijo.

Bélgica se ha convertido en su nuevo hogar, y no planea regresar a Yemen y a la vida de la que tuvo que huir.

Muzoon vive en el Reino Unido, donde se ha reasentado con su familia. Empezó su campaña por la educación de los niños mientras vivía en los campos de refugiados de Jordania, donde conoció a Malala, y entre tanto se ha convertido en la embajadora de Buena Voluntad de UNICEF más joven y también la primera refugiada en desempeñar esa tarea. Cuando no está viajando por el mundo para defender el derecho de cada niño a la educación, estudia política internacional en una universidad del Reino Unido.

Najla vive en el asentamiento de Shariya, en la provincia de Dohuk en Irak, con su familia y otras dieciocho mil personas desplazadas. Aunque el campo cuenta con una escuela, Najla no puede estudiar allí porque, con veintiún años, es demasiado mayor. Estudiar en la cercana Mosul sería demasiado peligroso debido a la violencia y la inestabilidad. Su sueño es ir a la universidad, idealmente en otro país. Entre tanto, ella y su hermana planean abrir una peluquería en Shariya.

María vive en Manuela Beltrán, Colombia, con su madre y su hermano de dieciocho años. Trabajó en un salón de uñas, pero lo dejó porque decía que no le pagaban lo debido. Quiere ir a la universidad a estudiar comunicaciones o educación infantil porque le parece que esa es la mejor forma de proporcionar seguridad a su familia. Su sueño es estudiar una carrera que la ayude a mantenerse a sí misma y a su madre para no volver a sufrir hambre o pobreza.

Analisa vive con su hermanastro y la familia de él en Massachusetts. Está en el penúltimo curso del instituto y quiere ir a la universidad a estudiar enfermería cuando termine en 2020. Su sueño es convertirse en enfermera para ayudar a otras personas cuando más lo necesitan.

Marie Claire estudia enfermería en la Universidad Adventista de Washington en Takoma Park, Maryland, muy cerca de Washington DC. Su sueño es colaborar con el programa de atención global Sigma en las Naciones Unidas, lo que espera que le permita trabajar con refugiados en todo el mundo y en Zambia en particular. Quiere desarrollar su misión como mentora, aparte de en el ámbito médico, para dar a los demás la esperanza de que ellos también pueden perseguir sus sueños.

Jennifer vive en Lancaster, Pensilvania, con su esposo y dos hijos. Diecisiete miembros de la familia de Marie Claire viven cerca de ella y los considera a todos parte de su familia. Sigue siendo voluntaria activa del Church World Service, la organización que la conectó con Marie Claire y su familia.

Ajida vive en la zona de Ghumdhum en el campo de refugiados de Cox's Bazar en Bangladesh con su esposo y tres hijos. Son cinco de los más de 700.000 refugiados rohingyas que viven en este campo. Como empleados del Ejército del Amor, Ajida fabrica hornos de arcilla para otros refugiados y su esposo trabaja en un equipo de limpieza. Sus tres hijos, de nueve, siete y cuatro años, van a un centro comunitario, pero en el campo no hay una escuela adecuada para ellos. Ajida no planea regresar a su país.

Farah, nacida en Uganda de origen indio, se crio en Canadá y ahora reside en Londres, donde es directora ejecutiva del Malala Fund. La misión del Malala Fund es contribuir a crear un mundo en el que cada niña tenga acceso a doce años de formación gratuita, segura y de calidad. A lo largo de su carrera ha recibido numerosas distinciones por su trabajo en el servicio público y por su compromiso con el empoderamiento de niñas y mujeres. Su mayor aventura ha sido subir al Kilimanjaro.

Sobre la autora

Malala Yousafzai es cofundadora y miembro de la junta directiva del Malala Fund. Comenzó su campaña por la educación a los once años, cuando de forma anónima escribía un blog para el servicio en urdu de la BBC sobre su vida en el valle de Swat bajo los talibanes. Animada por el activismo de su padre, Malala empezó a hablar públicamente en pro de la educación de las niñas, por lo que recibió premios y la atención de los medios internacionales. A la edad de quince años sufrió un atentado a manos de los talibanes por la defensa de sus convicciones. Se recuperó en el Reino Unido y continuó su lucha por las jóvenes. En 2013 fundó con su padre, Ziauddin, el Malala Fund. Un año más tarde, recibió el Premio Nobel de la Paz en reconocimiento por sus esfuerzos para que cada niña tenga acceso a doce años de educación gratuita, segura y de calidad. Actualmente estudia filosofía, política y economía en la Universidad de Oxford.